YO ESTABA DETRÁS DE TI

EDAF Voz y Tiempo

NICOLAS FARGUES

YO ESTABA DETRÁS DE TI

EDAF

MADRID - MÉXICO - BUENOS AIRES - SAN JUAN - SANTIAGO - MIAMI
2007

Título original: J'ÉTAIS DERRIÈRE TOI

© 2006. Nicolas Fargues
© 2007. De la traducción, Tomás Onaindia
© 2007. De esta edición, Editorial Edaf, S. L., por acuerdo con P.O.L. 33, rue Saint-André-des-Arts, París 6ᵉ.

Diseño de la cubierta: Gerardo Domínguez

Editorial Edaf, S. L.
Jorge Juan, 30. 28001 Madrid
http://www.edaf.net
edaf@edaf.net

Ediciones-Distribuciones Antonio Fossati, S. A. de C. V.
C/ Sierra Nevada, 130
Colonia Lomas de Chapultepec
11000 México D. F.
edafmex@edaf.net

Edaf del Plata, S. A.
Chile, 2222
1227 Buenos Aires, Argentina
edafdelplata@edaf.net

Edaf Antillas, Inc.
Av. J. T. Piñero, 1594
Caparra Terrace
San Juan, Puerto Rico (00921-1413)
edafantillas@edaf.net

Edaf Antillas
247 S.E. First Street
Miami, FL 33131
edafantillas@edaf.net

Edaf Chile, S. A.
Huérfanos, 1178 - Of. 506
Santiago - Chile
edafchile@edaf.net

Marzo 2007

I.S.B.N.: 978-84-414-1826-4
Depósito legal: M-10.647-2007

Imprime: IBÉRICA GRAFIC, S.L.

Para Emilia.

*E*RO *dietro di te:* ¿sabes lo que significa? Significa *Yo estaba detrás de ti.* De hecho, durante toda la cena, estaba sentada a una mesa detrás de la nuestra y pasó el rato mirándome sin que yo lo supiera. Y, qué curioso, ahora me estoy dando cuenta de que, si bien un poco traída por los pelos, es eminentemente simbólica, la frase. También podría significar: «Durante todo este tiempo, todos estos años, estaba justo detrás de ti, no muy lejos, y no me viste. Estaba más claro que el agua, tú y yo, pero nunca nos encontramos. Ahora, aquí estoy y tengo la intención de hacértelo saber, la pelota está en tu tejado, no podrás decir que no te avisaron y lamentarte por haber dejado escapar la oportunidad de tu vida». ¿No?

El camarero me trajo una tarjetita al final de la cena, junto con la cuenta. Ya sabes, esas cartulinas donde aparece el nombre, el logo y la dirección del restaurante. En Italia, no sé si te has fijado, pero ese tipo de cosas siempre están muy bien hechas, la impresión es impecable, el papel bueno, la ilustración refinada, una tipografía bonita: siempre muy personalizada, están mucho más pendientes que nosotros de esas cosas. En el dorso de la tarjeta habían escrito con bolígrafo: «*Ero dietro di te — Alice*», en italiano se pronuncia *Alitché*, y el número de un móvil, en Italia empiezan por 33 ó 34. El camarero me la tendió sonriente y empezó a contarme en italiano lo que había pasado. Yo asentía con la cabeza pero, de hecho, no entendía más que una palabra sobre cinco, me negaba a reconocer que no entendía el italiano, estaba molesto pero, por puro orgullo, seguía asintiendo con la cabeza. Qué reacción más gilipollas, ¿no? Completamente idiota, ¿eh?

Como veía que yo no lo pillaba, se volvió naturalmente hacia mi padre y su mujer que, ellos sí, hablan italiano, y les explicó que había una chica en una mesa detrás de la nuestra que se había empeñado en darme su número de teléfono. Estaba encantado, el camarero, ¡cómo sonreía, cómo sonreía! No era una sonrisa burlona ni hastiada, nada de eso. Al contrario, una sonrisa, yo diría, de timidez, de timidez conmovida, estupefacta. Entusiasta y estupefacta, eso es. Le incomodaba tanto sonreír y le parecía a la vez tan atrevido y romántico, por parte de esa chica, haberme dado a toca teja su teléfono, que casi se ruborizó. Qué quieres, después de todo es el tipo de situación que solo ves en las pelis o en los libros y, poniéndome en el lugar del camarero, no debe pasar a menudo, en su restaurante, este tipo de cosas. La verdad es que yo no me daba realmente cuenta de eso porque *yo* vivía la situación, porque ese mensaje iba dirigido *a mí.* Pero imagino que, visto desde fuera, debe de ser bastante turbador, ¿no? Entonces, yo le pregunté al camarero, esta vez en inglés —por cierto, ¿te has fijado que los italianos, cuando les preguntas: «Do you speak english?», te contestan todos muy humildemente: «Just a little bit»? *Djeustéliteulbite,* con el acento, poniendo así el índice y el pulgar.

Te contestan «Just a little bit», pero, de hecho, lo comprenden y lo hablan mucho mejor que nosotros, el inglés. ¿No? ¿No te has fijado? Ah, sí, el camarero. Le pregunto en inglés, intentando por todos los medios evitar el acento francés —porque dime si no es una vergüenza, nuestro acento, cuando hablamos inglés, ¿no?—, le pregunto si la chica aún sigue allí, cómo era, si era guapa o no, le pido que me la describa, pero sin más, se lo preguntaba en plan de broma, para hacerme el listo delante de mi padre, de su mujer y de mi hermanito, sin que me importase realmente. Solo para divertirnos y porque me venía bien, cambiarme las ideas hablando de cosas ligeras.

Porque lo estaba pasando mal hasta un punto que no puedes ni imaginar, esa noche, te lo juro. Alexandrine me había sido infiel hacía más de un mes, pero yo no era capaz de reponerme, era espantoso. Pensaba en ello cada vez que la miraba, intentaba olvidarlo, pero no había nada que hacer, la cosa había terminado adquiriendo unas proporciones enormes, se había convertido en algo patológico, ardía a fuego lento en mi cabeza, sentía que me desangraba cada día, día y noche tenía un peso en el estómago, ya sabes, el peso que tienes ahí y que no te suelta, el malestar anímico directamente transformado en dolor físico objetivo, te haces una idea, ¿verdad? El tipo de cosa para la que te prescriben antidepresivos, Prozac, cosas así. Antes de pasar por esto, yo no lo entendía, lo del Prozac. Antes, como para mí era una cuestión de honor el no admitir nunca que las cosas no iban bien —y terminaba por cierto convenciéndome yo mismo de que nunca tenía problemas, yo, sabes, antes era el señor *sin problemas*—, a fuerza de empeñarme en la idea de que era feliz, pues bien, no comprendía ni la finalidad, ni la utilidad, ni el efecto de toda esa química. La gente me hablaba de depresiones y malestares, y me parecía algo completamente abstracto, pensaba que todas esas pociones, todos esos psiquiatras y todos esos discursos, eran para los débiles. Llegaba a mostrarme desdeñoso, despectivo, directamente intolerante. No entendía que se pudiera ser desdichado sin reaccionar, no comprendía que se pudieran poner malas caras, que te cayesen diez años de golpe, que un buen día pudieses dejar de tener ganas de sonreír para la galería. Pensaba que los que lo pasaban mal se resignaban a pasarlo mal y que, al fin y al cabo, no debían sentirse tan mal así, con su malestar, te haces una idea, ¿verdad?

Bueno, yo, en ningún momento pensé seriamente en que me prescribieran Prozac porque tengo, en el fondo, creo, un ego sobredimensionado que siempre hace que mantenga la cabeza fuera del agua y siempre logra que caiga de pie, pase lo que pase. Pero ahora he comprendido que hay dolores anímicos que son tan fuertes, tan difíciles de llevar, que, a la larga, pueden realmente hacer que te des por vencido. Y que, contra esos dolores, la medicina occidental ha desarrollado unas moléculas que pueden hacerte la vida menos insoportable. Y que sería un error privarse de ellas si realmente las necesitas, si es demasiado duro, si no tienes la fuerza para hacer nada más, si eso puede lograr que te sientas menos desdichado. Y que no hay por qué avergonzarse. No, te aseguro que ya no largo en absoluto de los que se atiborran de remedios y no ocultan que están mal, es demasiado fácil. Hacen lo que pueden, eso, eso sí lo he comprendido muy bien. Porque ahora sé que, los pobres, si han llegado a eso, es porque deben estar pasándolas putas de verdad. He comprendido muy bien que se puede sufrir sin poder hacer abstracción de tu propio sufrimiento. Ya no largo de nadie, por cierto. Me ha vuelto más humano, toda esta historia. De hecho, he esperado a ser un treintañero para comprender que soy exactamente como todo el mundo y que todos remamos en la misma galera, que menuda estupidez por mi parte creer que estaba por encima del barullo. Por lo demás, mi psicóloga me lo dijo desde nuestra primera sesión, en junio: «Ahora, usted ya no está por encima de los demás, está *entre* los demás», recalcando mucho el *entre.* A los demás, antes, yo, yo pensaba que no tenía nada que decirles. Pero, a los demás, me encantó tenerlos cuando necesité hablar. Porque, antes, sabes, yo no hablaba. El señor *sin problemas*, te digo. Y, hoy, puedo decirte que fue porque hablé durante horas, a oídos atentos o no por cierto, eso no importa, que logré salir adelante. Sí, lo digo alto y claro: Gracias a los demás, ¡gracias! Me habéis salvado la vida, y perdonadme que os haya mirado tanto tiempo por encima del hombro, os juro que he aprendido la lección y que nunca más volveré a hacerlo. Incluso terminé perdiendo todo escrúpulo, todo reparo en responder a la pregunta: «¿Qué tal estás?», con un: «Fatal, estoy fatal, necesito hablar, ¿tienes un momento?». Y sin dudarlo, yo, que por encima de todo temía romper mi imagen impoluta ante los demás hablándoles demasiado de mí y de mis eventuales problemas, no dudaba en hablarles durante horas, como todo el mundo, hartaba sin vergüenza a los demás con mis palabras igual que los demás me han hartado con las suyas cuando las cosas les iban mal, cuando yo les daba a entender que, por mi parte, todo iba muy bien y que era para sus problemas un oído tan atento como lo son ellos hoy para mí cuando tengo los míos propios. Y a ocultarles a la perfección que a veces me hartaban, igual sin duda que, entre todos a quienes les he hablado de mis problemas estos últimos tiempos, incluido tú, seguro que hay uno o dos a quienes he debido marear en serio, ¿no? ¿Te estoy mareando? ¿Seguro? Aunque me la trae al fresco, finalmente, que me escuchen o no. Ahora, yo hablo. Y siempre pasa algo cuando hablas. Por otra parte, he comprendido que lo que los otros esperan de ti no es que les ahorres tus problemas y que estés bien, muy al contrario. Lo que los otros esperan de ti es que termines por quitarte la máscara y admitas que eres exactamente de la misma especie que ellos, que estás tan jodido como ellos. Eso es, de verdad, compartir, eso es, la humanidad. Mientras estás bien, mientras procuras ahorrarles tus problemas, a los demás, les fascinas pero no eres uno de ellos, estás de más, tu felicidad los mantiene a distancia, los fastidia, los agrede. Y te aprecian todavía más, se muestran todavía más atentos y compasivos, cuando te quitas la máscara después que ellos han considerado durante mucho tiempo que estabas por encima del barullo, esperando con perversa impaciencia el día en que, a tu vez, terminarías también partiéndote la crisma, como todo el mundo.

En dos palabras, te decía que he esperado a los treinta para sufrir. O más bien, para descubrir que podía sufrir como todo el mundo y que mi supuesta fortaleza mental, mi supuesta indiferencia elegante, mi supuesta distancia en cualquier situación, puramente teórica, puramente idealista, puramente literaria, que todo eso no daba la talla frente a un buen porrazo en las narices de lo más banal, directo y contundente. He esperado a los treinta para convertirme en un adulto, de hecho. Sabes, problemas de verdad, nunca había tenido realmente. No soy un niño traumatizado, no hay nada objetivamente dramático en mi historia. No me abandonaron, no me violaron, no me pegaron, mis padres no se liaron a tortas delante de mí, mi padre no mató a nadie, no fue a la cárcel, no bebía, mi madre no se metió a puta para alimentarme, no fui testigo de atrocidades, de asesinatos, de genocidios, de deportaciones o de cosas de ese tipo. Mi historia es perfectamente banal, burguesa: una hermana pequeña, papá-mamá que se quieren y se respetan, que nos quieren, y que luego deciden un día que la cosa ya no funciona y que se separan limpiamente, punto. Un hijo para cada uno y buena suerte, no olvidemos que nos hemos amado y que, por encima de todo, hay que velar por el equilibrio de los críos. Pequeño traumatismo banal del divorcio y de la familia reconstruida, el blues del niño mimado, la vida sigue, no hay por qué sacar las cosas de quicio.

Pero bueno, como cada uno habla de la feria según le va en ella, a escala individual, una experiencia como la que acabo de vivir con Alexandrine, es probable que algún día llegue a reírme de lo sucedido, pero, de momento, la considero como una revolución. O mejor, considero que este tipo de revoluciones forma parte del derrotero normal, banal, de lo más simple, de cada adulto. *Así es la vida*, como dicen. No está mal, en efecto, esa expresión, ¿verdad? *Así es la vida*. En todo caso, habrá un antes y un después de esta historia, eso seguro. Por cierto, ¿no te parece que he cambiado un poco? No cambiado completamente, no, claro, pero, no sé, algo así como un poco más de tristeza que antes en el fondo del iris, ese tipo de cosas imperceptibles pero que hacen que ya no seas realmente el mismo, que tengas un poco de lastre, de experiencia. ¿No? ¿No te parece? Ya sé que somos todos, todos, a nuestra manera, niños heridos. Todos. Teóricamente, por cierto, esto pone rápidamente en su sitio tus pequeños pesares. Es casi molesto, incluso, tanto anonimato en el sufrimiento. Pero bueno, de hecho, te lo juro, que Alexandrine me engañase, fue horrible, una pesadilla: durante todos los meses posteriores a su regreso de Kodong no dormía, me forzaba a comer, me forzaba a salir de la cama, a ducharme, a elegir mi ropa, a acicalarme frente al espejo, a mantener mi sonrisa para que todo el mundo siguiera creyendo que todo estaba O.K. En realidad, no, no me forzaba, no es eso. En realidad, lo hacía todo maquinalmente, sin comprender muy bien lo que me pasaba. Estaba de lleno en la onda de choque, ya sabes, cuando el edificio aún se mantiene en pie unos minutos tras la sacudida sísmica y luego se desploma. O como la gallina a la que acaban de cortarle la cabeza y sigue corriendo veinte o treinta segundos por el corral antes de aceptar que no vale la pena seguir corriendo, que no va a ninguna parte. Me creía fuerte, sabes, inoxidable, todoterreno, inmancillable, demasiado orgulloso para sufrir. Pero entonces, de pronto, se acabó el orgullo, se acabó la distancia, se acabó la ironía. Solo queda un buen guantazo de vida que te cruza la cara. Y como toda la gente demasiado orgullosa y demasiado protegida por la vida frente a su primera desgracia, reaccioné mal. Me convertí en un autómata, hacía las mismas cosas de siempre, pero estaba como descolgado. Estaba aplastado, estaba obsesionado con la imagen de mi mujer follando en su puñetera habitación de hotel, en Kodong, con ese tío más alto y más tío que yo, black, más grande y más fuerte, más wild, que le hablaba en inglés y que, él sí, le había hecho gozar sin más preguntas. Fue horrible, te lo juro, yo intentaba dar el pego ante los demás, seguía sonriendo como un desesperado para aparentar que nada ni nadie podía conmigo. Pero, por detrás, me estaba cayendo a pedazos, tenía la sensación de que en todo el mundo no había nadie que estuviese perdiendo los estribos tanto como yo.

Estaba exactamente en ese estado de ánimo mientras hablaba con el camarero de ese restaurante, en Romanza. Tenía una especie de euforia desesperada, sabes cómo te digo, ¿no? Aunque, esa noche, para ser totalmente honesto contigo, el hecho de estar en Italia me producía un efecto más bien benéfico. Había llegado de París esa misma mañana, solo iba a pasar el fin de semana, no esperaba ningún consuelo moral del viaje, ni siquiera pensaba que Italia pudiese hacer algo por mí, en vista del estado en que me encontraba. Y es precisamente porque no esperaba nada que todo podía pasar, porque ni siquiera pensaba que pudiese pasar algo que me sacase de mi espantoso, de mi muy espantoso estado. Mi padre, al que llevaba un año sin ver, me había sugerido que aprovechara mi estancia en Europa para dar un rodeo de un fin de semana por Romanza, donde justo acababa de mudarse con su familia. Me lo propuso por *e-mail* dos o tres meses antes, con mucho adelanto, para asegurarse, porque él sabe bien lo que es eso, llegar deprisa y corriendo a Europa: millones de cosas que hacer y gente a la que ver en un tiempo récord, y sin tiempo para la familia. Sabía que las cosas no iban bien en mi pareja y me había escrito: cuando estés en París con Alexandrine, a primeros de septiembre, por qué no cambias de aires y vienes a pasar un fin de semana en Romanza con nosotros, por esos días nos mudamos, he encontrado una

casa que no está nada mal, sobre las colinas, se ve toda
la ciudad.

Yo, cuando me lo propuso en su *e-mail,* estaba en mi
oficina, en Tanambo, en la otra punta del planeta, con un
millón de preocupaciones en la cabeza y moralmente de-
vorado por la culpa. Sabes, por esos días, en junio más o
menos, ya estaba en plena crisis con Alexandrine. Fui yo
quien, después de años y años de perfecta fidelidad recíproca y dos niños, lo puse todo patas arriba de repente, a
mediados de mayo, al perder la cabeza por Gassy, una cantante de paso que llegó incluso a consultar a los hechiceros
de su aldea para embrujarme, y, de hecho, puede que sus
ensalmos surtieran efecto, porque, desde la distancia, no entiendo realmente lo que vi en ella, fue una aberración, el
número que monté con la cantante. En resumen, una enga-
tusadora que no valía un céntimo, a la que apenas conocía
y a la que, una mañana en que mi mujer y los niños estaban
inocentemente en el zoo, muy lejos de sospechar lo que yo
maquinaba al otro extremo de la ciudad, visité a escondidas
en su hotel para besarla y magrearla. Lo peor no fue tanto
el hecho de dar unos besos de tornillo y acariciar los senos
y el sexo de otra chica. Ya conoces esta historia, se la hemos
contado a todo el mundo: lo peor es que, dos días después,
cuando le confesaba a Alexandrine que había flirteado con
esa chica, le anunciaba de paso que la abandonaba, pero
para retractarme bruscamente al cabo de veinte minutos y
suplicarle que me perdonara. Aquí voy rápido, sintetizo demasiado, te ahorro el desmoronamiento psicológico y físico de Alexandrine en el mismo instante en que le daba la
noticia, el golpe palpable, terrible, en sus ojos y en toda su
cara mientras se disponía a meter en el horno un bizcocho

para toda la familia. Te ahorro mis ganas instantáneas de morirme por haberla puesto en ese estado, la conciencia brutal de haber roto el equilibrio del mundo, de haber quebrado la confianza de forma irreversible, de haber cometido un auténtico sacrilegio, te ahorro la sensación de apocalipsis, de caer en las llamas del infierno, no hay otra imagen para expresarlo, la pesadilla viviente, los cinco segundos determinantes de las palabras pronunciadas que querrías borrar, esos cinco segundos fatales que en vano querrías reescribir para que todo vuelva a ser exactamente como antes, para que todo eso no sea más que un mal sueño. Y a propósito de sueño, justamente, te ahorro el que tuve una o dos semanas antes. Qué cosa más insólita, los sueños. En este, Alex y yo nos estamos gritando a la cara, nos estamos gritando a la cara al mismo tiempo, frente a frente, con los ojos cerrados por la histeria, nos gritamos llorando en la incomunicabilidad más absoluta, nos odiamos mortalmente por una razón que no está clara en el sueño, una razón grave, muy grave en todo caso, una razón que es culpa mía, nos gritamos a la cara en una cacofonía indescriptible como si fuese el fin del mundo, y sin embargo nos abrazamos con todas nuestras fuerzas, como dos huérfanos en un bombardeo, esperando aterrorizados la muerte, porque los dos sabemos que no habrá salida posible. Este sueño, lo recuerdo perfectamente, no invento nada, te lo juro, este sueño me hizo incorporarme de angustia en el lecho conyugal, en plena noche, tan realista y tangible era la violencia que había en él. Por la mañana aún sentía escalofríos, te lo juro. Me salto todo eso, pero, en cuanto al desarrollo de los sucesos propiamente dichos, esta debe de ser la versión que has oído, estamos de acuerdo, ¿no es así? Dime en el acto si omito algo, un detalle suplementario, algo que te hayan contado que te parezca significativo y creas que te oculto voluntariamente para que así mi versión quede mejor. No lo dudes, por nada del mundo quisiera influenciarte.

Las razones de mi extravío con la cantante, en cualquier caso, no voy a explicártelas. Primero, porque es algo muy íntimo, nos llevaría horas y, sobre todo, porque no quiero que te pongas de mi parte, sé que aprecias mucho a Alex, sé que os lleváis bien y que ella te cuenta su versión de las cosas por su lado, es demasiado delicado. Lo único que te puedo decir, aunque eso no te aclare nada, es que tenía mis razones. Forzosamente. No me importa quedar como un cabrón, no me importa quedar como el primero que lo arruinó todo, pero eso no pasó así como así, es todo lo que puedo decirte. Si lo hice, es porque tenía mis razones, y nunca eres del todo culpable por tener tus razones, ¿no? Incluso si, en aquel instante, viendo lo que le había hecho a Alexandrine, yo me sentía tan culpable que me negaba incluso a considerar que podía tener la milésima parte de una razón objetiva para hacer lo que había hecho. En dos palabras, las cosas iban fatal, me sentía monstruosamente culpable de haberle mentido, monstruosamente culpable de haberle amenazado con dejarla por una tía con la que tenía ridículos escrúpulos para acostarme antes de haber abandonado decentemente a mi mujer, monstruosamente culpable de que se me cruzaran los cables y destrozar así en cinco segundos todos esos años de una historia de pareja sin verdaderos nubarrones evidentes, y para colmo con dos hijos. Después de una noche en blanco que pasé postrado a sus pies suplicándole que me perdonase y me aceptase de nuevo para toda la vida, tras una noche en blanco con sus

lágrimas y con sus gritos de desesperación, a la mañana siguiente dejé de ir a trabajar durante diez días para no sepa-
rarme de ella ni a sol ni a sombra. La velé día y noche hecho un ovillo en el suelo, al pie de la cama del cuarto de
invitados donde ella había trasladado todas sus cosas, yo no
dormía, vigilaba hasta el más mínimo de sus gestos durante
su sueño, cuando se despertaba me incorporaba como un
resorte y esperaba sus primeras palabras mirándola a hurta-
dillas, yo bajaba los ojos cuando me conminaba con los suyos a no mirarla de frente, asentía con la cabeza por miedo
a que el sonido de mi voz la hiriese, le pedía permiso antes
de hablarle, salía cuando ella me ordenaba que saliese, por
decencia no me atrevía a manifestar mi júbilo cuando ella
me pedía que me quedase para hacerle compañía, esperaba
sus órdenes recorriendo arriba y abajo el pasillo, por decencia no me atrevía a echarme en el canapé del salón, no
me atrevía a poner la tele, no me atrevía a abrir un libro,
no me atrevía a pensar en mí ni por un segundo, no me atrevía siquiera a mirarme en el espejo por lo indecente que me
resultaba mi sucia jeta de salteador de esposa y madre de familia, era como Macbeth después del asesinato del rey, había matado la inocencia y yo me lo hacía pagar muy caro,
te lo juro, no exagero, es la verdad, a partir de ese momento
viví dos meses y medio en una abnegación total, rozando
el masoquismo, y me parecía normal, normal reprimir las
lágrimas o la risa delante de ella, normal ser un mierda, normal no ir a tirarme debajo de las ruedas del primer coche
por respeto a su dolor, normal oírle decir: «Solo hay una
cosa que podría envenenarte la existencia a la medida de
lo que me has hecho: que yo me suicide. Pero de ninguna manera voy a darte ese placer». Me parecía que lo me-

nos que ella podía hacer era tratarme como a un perro, yo ya no sabía qué hacer, ella era mi ama ultrajada, la oía llorar y sorber durante horas al otro lado de la pared de su cuarto y eso hacía que deseara morirme, estaba dispuesto a todas las humillaciones, a todos los golpes, a cambio de una mano magnánima en mi pelo o en mi mejilla, a cambio de una simple sonrisa, y, de hecho, la misma noche del drama me obligó, amenazándome con un cuchillo de cocina, a proferirle insensateces por teléfono a la cantante, a la que habría ido a ver a su hotel en plena noche para romperle las piernas con una barra de hierro de haberse encontrado aún en la ciudad en ese momento. De hecho, al día siguiente por la mañana, me mordió la mano hasta hacerme sangrar cuando le saqué a la fuerza de la boca unas veinte pastillas que intentaba tragar en su cuarto. De hecho, media hora más tarde, le prendió fuego a todas nuestras cartas de amor de todos esos años, las mías para ella y las suyas para mí, y a todas nuestras fotos, ante mis ojos, centenares de fotos y negativos de tantos años de vida en común sin que yo pudiese protestar. De hecho, dos días después, durante veinte minutos importunó a nuestra hija de seis años, a la que habíamos mantenido totalmente al margen del asunto hasta entonces, con mensajes para mí como: «Papá, mamá me pide que te pregunte si Gassy está bien», «Papá, mamá me pregunta cuándo piensas librarte de los inoportunos para hacerle sitio a Gassy», «¿Qué significa *librarse de los inoportunos*, papá?», «¿Y quién es, papá, Gassy?». Y, de hecho, al siguiente sábado, a la hora del almuerzo, después de haber escuchado durante toda la mañana en bucle una canción triste que se llama *Lo que me has hecho*, en la que la mujer ha sido engañada por su chico, ella telefoneó a una amiga para que viniese a buscar a los niños y, una vez que los niños se marcharon con la amiga, una vez solos ella y yo en la casa, sin testigos, apagó el equipo de música y vino a tamborilear en la puerta del váter donde yo estaba encerrado, obligándome a gritos a levantarme del trono donde no había terminado de cagar, me grito que abriese la puerta inmediatamente, así que la abrí, la abrí porque no estaba en condiciones de desobedecerla y porque, también, no estaba acostumbrado a desobedecer a Alex, ni siquiera antes de la pesadilla. Así que abrí la puerta preguntándome, a pesar de todo, qué pasaba, con los pantalones desabrochados en mi mano, y entonces la vi, a ella, transfigurada, sosteniendo en la suya un mango de escoba de aluminio que había desatornillado del cepillo. Su cara estaba irreconocible de odio, apretaba el palo de escoba con todas sus fuerzas en su puño y me dijo, plena de esa canción que debió escuchar cuarenta veces entre las nueve de la mañana y las doce del mediodía, me dijo, con un aire convulso en los ojos y la boca que nunca le había visto, con un aire que me hizo pensar: «De hecho, no conoces a Alex, de hecho, tu mujer es una extraña», me dijo: «Prepárate, ahora vas a pagar». Entonces, yo, de inmediato comprendí lo que me esperaba, mi corazón no latía tan fuerte como era previsible porque yo ya debía saberlo en el fondo de mí mismo, debía animalmente esperarlo, lo que iba a pasar, incluso debía esperarlo más o menos conscientemente desde hacía todos esos años porque en ese momento iba a materializarse una situación que definía implícitamente nuestra pareja desde el principio: su fragilidad potencialmente violenta contra mi culpabilidad potencialmente cobarde. De modo que ni siquiera pensé en negarme, no intenté hacerme el inocente, no hice ninguna pregunta, me abroché los pantalones con calma y di un paso hacia ella diciéndole: «Estoy listo», apreté los dientes y de inmediato ella empezó a zurrarme a gusto en el umbral de nuestro cuarto de baño, con el palo que apretaba hasta el punto que tuvo ampollas durante varios días, empezó golpeando con todas sus ganas y todas sus fuerzas mi nuca y mi cuello, sin parar, con su estatura de nadadora de alta competición, apaleó como una furia mis piernas, mis caderas, mi espalda, apuntaba como una poseída a los cojones, a la cara, me gritaba a cada golpe que daba improperios como «basura», «cerdo», «montón de mierda», «no eres más que un mierda», «pedazo de cerdo», «reventar como un desgraciado, es lo único que te mereces», «solo sirves para que se caguen en tu jeta», y yo, yo me dejaba hacer, demasiado carcomido por la culpa para sentir el efecto de los golpes y de los insultos, aplazando el dolor, concentrándome en el silbido del aire que se colaba por el tubo de aluminio, pensando cada vez que me cruzaba con sus ojos indignados detrás del palo: «De hecho, me casé con una loca». Y cuando, al cabo de tres o cuatro minutos, el palo de escoba se había partido en dos al contacto repetido con mis huesos, después de tirarme los dos trozos a la cara, desenchufó la lamparita de madera de mi despacho y la aplastó contra mí, siempre en plena cara. El choque fue tan violento que la lámpara y la pantalla explotaron juntos de golpe, su gesto fue tan potente y perfecto que ni siquiera me dolió. Aprovechando el impulso, recogió del suelo, entre los pedazos, el cable blanco con el enchufe en su extremo y entonces se dedicó a azotarme, me azotó durante dos o tres minutos largos, hasta que el enchufe también saltó por efecto de los golpes repetidos, y luego ella siguió queriendo lacerarme el rostro con el cable desnudo, gritándome que no tenía derecho a protegerme, que tenía que desfigurarme mi jeta de ángel para que a las chicas nunca más pudiese gustarles, fíjate, mira esta cicatriz en mi sien, ahí, ¿la ves, ahí, al trasluz? Es la marca de un latigazo con el cable más atinado que los demás, esta marca, la tuve durante un mes explicándole a todo el mundo, para proteger a Alex, que me había llevado por delante una rama en mi jardín. Y gracias al áloe vera, la hice desaparecer. Es lo más para las cicatrices el áloe vera, ¿lo sabías? Y luego, cuando el cable a su vez estaba demasiado ensangrentado para sujetarlo en su palma sin que se resbalara, me dio dos sonoros derechazos en la mandíbula, me tumbó en el suelo con un puñetazo en el vientre y me remató dándome patadas en el mentón, en la espalda y en la parte superior de la cabeza. Durante todo ese tiempo me negué a protegerme en plan mierda, ella quería desfigurarme y que muriera, y yo, doblado en dos sobre el enlosado, sin aliento por el golpe en el estómago, el careto hinchado y arañado, mi ceja derecha reventada y mi camiseta en jirones y empapada de sangre, pensaba que me lo merecía, pensaba que ella tenía derecho a hacerlo porque yo no era más que un mierda, así que estaba dispuesto a morir y a dejar que me destrozaran mi jeta de ángel. Y cuando, al cabo de siete u ocho minutos, ella no tuvo más remedio que admitir que mi cara ya no se parecía a nada y juzgó que yo había recibido mi merecido, cesaron los golpes, aspiró hondo, dejó pasar treinta o cuarenta segundos y, dándose cuenta sin duda de que había ido demasiado lejos, me dijo con calma: «Ven, ahora que estamos en paz, vas a darte un buen baño caliente y yo voy a curarte». Y yo, no puedes saber lo feliz que era de que me hablase tan amablemente, de que me enjabonase con sus manos desnudas en la bañera, de que quisiera gentilmente ponerme algodón, Betadine y agua oxigenada en mi herida sanguinolenta y echar Biafine en mis contusiones, no puedes saber cómo le agradecía que tuviese a bien decretar que estábamos en paz, yo pensaba incluso que había salido bien librado teniendo en cuenta mi monstruosidad y que estaba dispuesto a cobrar el triple si era preciso para llegar a este mismo resultado. Ese era mi estado de ánimo, sí, esta escena te resume bastante bien mi estado de trance, el mío también. Te lo juro, ni una sola palabra es mentira en todo lo que te acabo de decir, no hay ninguna exageración.

No di ni el menor paso en falso durante los dos meses siguientes, eso también te lo juro, ni un paso en falso, me rebajé hasta el subsuelo, obedecí como un perro asqueroso, me volví un ser despreciable por ella, pero, no había nada que hacer, desde el siguiente día, olvidada la masacre del cuarto de baño y el «Ahora estamos en paz», ni una mano misericordiosa en mi cabeza o en mi mejilla, ni una sonrisa. La observaba con la esperanza de algún cambio, de una tregua, pero ella no lograba perdonarme el que hubiese considerado abiertamente durante veinte minutos el abandonarla por una semiprofesional, el abandonarla a secas, me necesitaba en calidad de testigo y de chivo expiatorio de su sufrimiento, se cobraba todos los días tanto como podía mi traición, y nada de medias tintas —ya conoces a Alex—, así que me la traía un poco al fresco, la casa en las colinas de mi padre, me la traía al fresco olímpicamente Romanza e Italia. Solo pensaba que ya hacía bastante tiempo que no había visto a mi padre, a mi madrastra y a mi hermano pequeño, que habría sido más sencillo si viviesen en Francia y que tendría que organizarme con mis millares de citas y de almuerzos en París para permitirme ese fin de semana en Italia. Ni por un instante sospeché, claro, que la noche misma de mi llegada allí, todo el curso de mi existencia iba a cambiar.

Así que con el corazón y la cabeza devastados aparezco en Romanza, el primer sábado de septiembre. Desde el principio, Alexandrine tenía previsto dejarme ir solo porque, por una parte, no le interesaba especialmente acompañarme a casa de mi padre y mi madrastra, y por la otra, prefería aprovechar esta pausa en nuestra breve estancia en París sin los niños para tener un respiro y pasar un poco de tiempo con su hermana y sus amigas. Yo, por cierto, solo le propuse que me acompañara a Romanza por pura formalidad, porque me la habría jurado irremisiblemente si no se lo propongo, a pesar de que yo sabía muy bien que no tenía ningunas ganas de venir. Mira, un ejemplo de nuestra retorcida relación: proponerle que viniese a Romanza solo para que no me reprochase que no se lo proponía. Era imposible para mí comunicarme de una forma simple con ella, ella me daba siempre la sensación de que yo no hacía nunca lo adecuado. Y esto tampoco podía decírselo, se encabritaba en cuanto yo me quejaba. No quisiera que pensases, por este ejemplo del fin de semana en Romanza, que soy un tío egoísta. Te lo juro, sin vanagloriarme, es justo lo contrario: he pasado todo este tiempo, toda nuestra vida de pareja, negándome a asumir que yo necesitaba pensar también en mí para no afligir a Alex. Porque yo estaba chiflado por ella, por Alexandrine. Chiflado. Estuve chiflado por ella hasta el final. Y, sobre este punto, a pesar de lo que ella diga, a pesar de lo que haya podido decirte —porque imagino que te lo ha dicho, que nunca la amé realmente, ¿verdad?, ¿te ha hablado de eso?—, sobre este punto, lo siento mucho, no tengo que justificarme. Y ella lo sabe perfectamente, que la he amado como un loco.

Proponerle que me acompañase a Romanza cuando en el fondo de mi alma no me apetecía, es todo un símbolo de lo que ha sido nuestro funcionamiento durante esta última época: yo necesitaba respirar —y también en este caso, las razones son múltiples, no te las voy a enumerar ahora, y además tengo miedo de ser demasiado parcial, no quiero decirte nada malo de Alexandrine—. Necesitaba respirar por muchas razones que creo que son, yo, objetivamente buenas, pero no me atrevía a decirlo francamente por temor a las violentas reacciones de orgullo herido que podía tener Alexandrine en estos casos. Y así, yo terminaba mintiendo y haciendo lo contrario de lo que pensaba y deseaba realmente. Alexandrine, por supuesto, lo notaba, sospechaba que mentía, yo negaba para evitar el conflicto, eso la volvía loca, yo, yo negaba con más ahínco todavía, ponía mi vocecita más dulce: *no hay problema, mi amor, te juro que me apetece mucho*, y ella, impotente, terminaba rabiosa y torciéndome el gesto por culpa de mi mala fe, y yo, yo encajaba sus palabras hirientes y sus miradas sombrías con mi vocecita, acumulaba, acumulaba. Qué retorcido, ¿no? ¿De quién era la culpa? ¿Mía, del hipócrita meloso que horripila a Alexandrine, o bien de Alexandrine, la arpía que me aterroriza? Es complicado, ¿verdad? Es la eterna historia del huevo y la gallina. Aunque —y aquí me perdonarás mi abierta parcialidad—, aunque creo que con una mujer más dulce sin duda no me habría resultado tan difícil ser más honesto, más yo mismo. Pero, bueno, ahí tendríamos que pormenorizar mucho, entrar en la personalidad y en la historia de cada uno, en la infancia, las familias, la educación, en los traumatismos, pero no es el momento, ni el lugar.

Desembarco pues solo en Romanza hecho migas a primeros de septiembre, después de que mi culpabilidad por haber sido el primero en engañar haya dado paso a un dolor inédito: el de haber sido engañado. Porque Alexandrine, por puro afán de represalia, por pura venganza, y también para no terminar reventando por mi traición, un mes antes, en su puta habitación de hotel en Kodong, había hecho algo más que besuquear a su mobalí, eso te lo puedo asegurar. En cualquier caso, no solo en la boca. Discúlpame, es que ha sido de muy mal gusto —no hablo del mobalí... ¡Qué digo! Discúlpame otra vez, soy un desastre, no sé qué me pasa, ni siquiera es gracioso pero no he podido contenerme, lo siento mucho, digo estas cosas para conjurar, ya sabes. Y además, todo este asunto no debe privarnos de reírnos un poco, ¿no?

Llego hecho migas, pero un cambio de contexto cultural, eso siempre te atrapa. Debo decir que soy muy sensible a un montón de pequeños detalles insignificantes pero que son toda la diferencia. Cuando le cuento a la gente lo que retengo de un país que he visitado, no entienden nada, me toman siempre un poco por un ingenuo, o por un esnob. Italia, lo siento mucho, es un extrañamiento total. Sí, sí, no exagero, no hay que ir muy lejos cuando se sabe mirar. Por mucho que digan que Italia y Francia están así así, lo siento mucho, son como el día y la noche. Y eso que, y no es una provocación gratuita, los museos y los monumentos, a mí, me fastidian bastante, incluso en Italia. Incluso en Italia, sí, te lo digo tranquilamente, sin esnobismo, te lo juro. No es-

toy diciendo que no me gusten. Por supuesto que mi respeto es infinito, por supuesto que son extraordinarios. Incluso tengo un ojo no del todo malo para la arquitectura,
la pintura, todo eso. Tengo una noción instintiva de la historia del arte, conozco los grandes periodos, puedo datar sin
equivocarme demasiado una fachada, un estilo, un trazo,
no sé, cuando entro en un museo para mirar todo eso reli-
giosamente, de puntillas, sin hacer ruido para no molestar a
los visitantes, con esos tres minutos como mínimo que hay
que pasar escrutando cada cuadro a riesgo de quedar como
un patán, de inmediato me bloqueo, ese lado obligatorio,
balizado, sacro, de inmediato me fastidia. Y además, Giotto,
todos los Fra no sé qué cosa, las basílicas, los Palazzo della
Regina, Alto, la Bella Croce, el Goliat, los bajorrelieves de
no sé quién, los techos pintados por Rafael y compañía, es
verdad que son hermosos, pero me fastidian. No es eso lo
que me gusta de Italia. Lo que me gustó, a mí, el día de mi
llegada —hacía diez años que no iba a Italia—, empezó
desde la misma ventanilla del avión. Era el simple hecho de
mirar los árboles italianos, los campos italianos, las carreteras italianas y las fábricas italianas allí abajo y pensar: «Voy a
aterrizar en Italia donde pasaré dos días y medio. Me cam-
biará las ideas porque voy a cambiar mis puntos de referencia habituales. Es un viaje más en mi haber, qué suerte:
voy a observar durante dos días todo un montón de pequeños detalles que no le interesan a nadie más que a mí pero
que, a mí, me bastan para pasarlo bien». Porque sentía que,
digan lo que digan, Italia iba a ser en todo radicalmente dis-
tinta a Francia, y eso, eso ya era una aventura en sí misma.
Yo, sabes, no necesito mucho para que mi curiosidad y mi
imaginación funcionen, no soy difícil, y eso es una suerte

inmensa. Me maravillo tal vez un poco ingenuamente, tal vez exageradamente, pero salgo ganando.

Así pues, te repito, solo el hecho de pensar: «Llego a Italia», con todo el mito ligado a Italia —porque no es cualquier cosa, Italia, ¿verdad?—, el simple hecho de llegar *a otro lugar*, ya era mucho. Y, a partir de ahí, te sorprendes a cada paso, y lo insignificante, lo aparentemente ordinario, lo aparentemente impersonal, se convierte en un espectáculo permanente: el color de la pista del aeropuerto, del sol, el olor del aire, los primeros italianos con los que te cruzas, italianos *en Italia*, los nombres de las empresas italianas inscritos en los letreros, las marcas originales italianas, los coches, las máquinas, ya sabes, todos esos signos que demuestran la autonomía creadora y económica de un país, el diseño del autobús que te lleva a la terminal, las gafas aerodinámicas del conductor que charla sosegadamente con un colega. Y luego, la forma en que ese conductor sujeta el volante, mira por el retrovisor y pulsa los botones de su cuadro de instrumentos, más relajada y más suelta que la de su homólogo francés. Y solo con las gafas del conductor, con sus movimientos espontáneamente amplios y controlados, con el verbo sosegado y musical de este conductor perfectamente banal *en Italia*, solo con esa *presencia* natural, empiezas a sacar tus primeras conclusiones, anotas las verdaderas diferencias culturales que a nadie más que a ti se le ocurriría buscar allí, sino más bien en un museo o en algún famoso ritual de quién sabe qué aldea siciliana. Ahí, empiezas a decirte: los italianos no están tan crispados como nosotros, son más directos, más pausados, mejor plantados que nosotros, asumen mejor su latinidad, se dice que son fardones pero es porque simplemente se dan sus gustos sin preocuparse tanto como nosotros de lo que los demás van a pensar de sus supuestos excesos, no están entre dos aguas, ellos. Ahí empiezas a pensar —bueno, al menos yo, yo empecé a pensar— que los italianos, a pesar de todas las caricaturas de que son objeto en Francia: lo fardones que son, lo habladores que son, la Mafia, Berlusconi, los servicios públicos deficientes, la televisión de lentejuelas, Eros Ramazzotti, el racismo en los campos de fútbol, pues bien, a pesar de todo eso, yo digo que tienen más carácter que nosotros, más personalidad que nosotros, más gancho, y que se sienten mucho más a gusto en su pellejo que nosotros. No tienes más que comparar la influencia de las culturas italiana y francesa en el resto del mundo. Bueno, claro, cuando digo cultura no hablo del Quattrocento, ni de Dante, ni de la ópera. En eso, por definición, nos ganan, estéticamente tienen ciento cincuenta años de adelanto en todos los temas. Porque francamente, apartando el impresionismo y nuestros filósofos, artísticamente, siempre hemos sido más o menos unos copistas austeros y megalómanos del estilo italiano, ¿no? Por supuesto, no hablo de los romanos, eso no cuenta. Porque los romanos, en cuestión de influencia en el mundo, creo que en la historia de la humanidad no hay nadie como ellos en términos de espacio y pervivencia, estamos de acuerdo, ¿verdad? No, hablo de la auténtica cultura popular, de la cultura efectiva: hablo de las pastas, de la Vespa, de la pizza y del café espresso: ¿se te ocurre algún rincón del mundo donde no los tengan? Pienso también en toda la influencia de la emigración italiana en Estados Unidos, las películas, los actores, todo eso. Porque la personalidad de los italianos muy bien podría medirse por el lugar que se han ganado en la historia y la cultura americanas. Porque en Estados Unidos, supongo que estarás de acuerdo, no hay perdón para las culturas blandas, ellos integran las cosas más eficaces, las más universales. Nosotros, salvo Lafayette... bueno, Vuitton, Dior, Saint Laurent, Bocuse y las botellas de Château-Margaux, vale. Pero, lo siento mucho, eso no es cultura popular, no cuenta. Nosotros tuvimos colonias en todas partes, vale, pero, a escala del «consciente colectivo popular», si se me permite la expresión, ¿qué hemos dejado, concretamente? No estoy juzgando a Francia, no. Adoro a mi país, estoy de lo más contento de ser francés, pero soy crítico, eso es todo. Y creo que deberíamos dejar de repetir esos cuentos chinos sobre el peso de nuestra influencia en el mundo, eso es todo. E incluso sobre la calidad de nuestra cocina. A riesgo de ponerme pesado, ¿no te has fijado que en Italia es rarísimo encontrar un restaurante malo? Opino que la proporción entre buenos y malos restaurantes es exactamente la inversa que en Francia. En Italia, no solo te reciben en general mejor que en Francia, sino que además estás casi seguro de comer bien. En la primera trattoria que te sale al paso, las pastas, los dulces, el café, el punto de la carne, los frutos de mar, todo está rico. Mientras que en Francia, en el chiringuito de la esquina, supongo que estamos de acuerdo, se ríen de ti: pan asqueroso, ensalada de plástico, vinagreta traslúcida, filete con patatas fritas abyecto, jarra de agua con sabor a lejía, postres de nevera, el café es una mierda, el camarero que pasa de ti y te pone mala cara. ¿No?

Todo esto para decirte que no estaba tan mal, de hecho, en aquel restaurante. Fuera, la noche era templada, durante el día habíamos tenido un sol perfecto, el trayecto matinal en taxi desde el aeropuerto, muy cool, muy sosegante. Y además, la casa de mi padre, que me había sorprendido muy agradablemente. Me esperaba una casa normal, ya sabes, en una calle normal, con una vista normal. Una cosa a la sombra con un estanco debajo, semáforos, coches aparcados en la acera y vecinos. Pues bien, nada de eso. En realidad, la casa que encontró, es *Una habitación con vistas*, ¿has visto esa película? Está a dos minutos de la ciudad pero ya en pleno campo, el taxi te deja tranquilamente delante de una verja alta de hierro, llamas como para acceder a un castillo, la verja se abre automáticamente, y entonces, entonces te internas por un sendero bordeado de cipreses, vides y juncos hasta una casa del siglo XVII de muros gruesos, con una verdadera terraza desde la que dominas toda Romanza, las tejas rojas, las fachadas ocres, las cúpulas de las catedrales, el Palazzo, el Gran Museo a la derecha y las montañas a lo lejos, todo ello bajo una luz mediterránea de final de verano, cero nubes en el cielo. Increíble, yo no salía de mi asombro, ni un solo detalle desentonaba. Perfectas, también, las compras que hice con mi padre en su moto, en un barrio comercial en el centro de la ciudad: el *prosciutto*, las frutas, el supermercado ubicado en un antiguo convento con sus bóvedas, la panadería dorada, los olores, los paquetes bonitos, el arte de vivir, los *ciao, ciao* de unos tenderos aparentemente menos mezquinos que los nuestros. Todo había empezado muy bien, lo percibía de forma inconsciente. Y, en mi dolor, esa misma noche, en el restaurante, la algarabía en italiano me sosegaba, los gestos y los rostros de los italianos —son mucho más cuidadosos que nosotros con su apariencia, sus zapatos, las marcas, tienes que haberte fijado en eso, ¿verdad?—. La luz era cálida, envolvente, yo me demoraba observando el mantel, la forma particular de doblar las servilletas, los platos, los colines en su envoltorio de papel, las etiquetas de las botellas de agua mineral con gas, la carne rojiza que los camareros traían a las mesas en una pequeña tabla de madera, me sentía completamente a resguardo en esta atmósfera alegre, viva, abierta, tranquilizadora, me sentía en un espacio familiar y benévolo. En dos palabras, no me daba cuenta pero estaba a gusto.

De modo que, volviendo a lo de antes —si hago demasiadas digresiones, no vaciles en decírmelo—, al final de la comida, el camarero me entrega la tarjeta del restaurante con el número de teléfono de una chica que se llama Alice. El hombre no deja de mostrarse muy vago al describir su físico, y yo, yo no puedo ni imaginar de quién se trata. Sí recuerdo bien una mesa colectiva detrás de mí con un montón de gente, pero no recuerdo a ninguna chica en particular de esa mesa. Le pregunto en plan de broma si es bonita, y sigue sin saber qué responderme, no me responde realmente, él mismo parece tan conmovido por la situación, sonríe tanto que es incapaz de decirme algo preciso sobre ella. Es extraño lo que sentí en ese momento. No voy a decirte que estoy acostumbrado a que las chicas me dejen su número de teléfono en mi mesa. Pero sé que les gusto a las chicas y que ese tipo de cosas puede pasarme, que no está excluido. Incluso pienso que inconscientemente, siempre estoy más o menos a la espera de este tipo de confirmación, siempre espero más o menos conscientemente de las chicas que me demuestren que les gusto. No hubo realmente efecto sorpresa, me explico, ¿no? Espera, por nada del mundo quisiera que mis palabras resultaran pretenciosas, lo afirmo sencillamente, sin hipocresía, eso es todo. Por supuesto, me sentía halagado, siempre son halagadoras, este tipo de cosas. Soy muy consciente del privilegio que significa el poder recibir en una mesa el número de teléfono de una desconocida, en absoluto lo considero algo normal, cuidado. Pero no me parecía tan increíble como sí lo parecía a ojos del camarero, de mi padre, de mi madrastra y de mi hermano pequeño. Te lo juro, ¡no salían de su asombro! Me miraban incrédulos, con aire de pensar: «¡Pero, bueno, tú sí que nos deparas sorpresas! Ni siquiera sospechábamos que pudiesen pasar cosas así». Tanto más cuanto que en el momento preciso en que el camarero dejó la tarjeta en la mesa, estábamos hablando del destino, del azar. Yo debía de estar diciendo de lo más convencido una banalidad del estilo: «El azar no existe, creo que todo lo que nos pasa tiene un sentido», te juro que decía eso, mi padre me lo recordó hace poco, yo lo había olvidado completamente. Qué locura, ¿no? En resumen, lo que quería decirte sobre todo, es que es en casos así cuando te das cuenta de que cada uno vive en su burbuja. Soy consciente de tener la suerte de gustarle a las chicas sin tener que hacer ningún esfuerzo, pero me olvido en cambio de que, para los demás, esto tiene un carácter absolutamente excepcional. Todos me miraban como a un semidiós, como a un tipo que no es del todo de este mundo. Yo, yo estaba halagado pero tranquilo, no me embalaba, simplemente estaba feliz de que me confirmaran una vez más que gustaba sin tener que mover un dedo, no me lanzaba a imaginar nada más. Por cierto, eso fue lo que les dije. Como tenía que decir algo, debí salirles con una tontería tipo: «Un detalle simpático, divertido. Pero, la pobre, no entiendo cómo ha podido imaginarse que le respondería. No le tiene miedo a nada, la chica». Y ahora, ves, estoy cayendo en la cuenta de que, en el fondo de mí mismo, debía estar pensando que ella tenía agallas para hacer algo así. Por otra parte, en mi delirio idealista, inmediatamente le atribuí todo el asunto a Italia. Pensaba que era un gesto típico de una italiana, fijarse en un tío y dejarle su número de teléfono. De hecho, me parecía un toque de clase. Ni por un segundo pensé en cosas tipo: «¡Menuda puta debe de ser esta!». Ni se me pasó por la cabeza. Al contrario, me resultaba osado, sexi, femenino, *italiano*. Y sin embargo, te juro que realmente no estaba en condiciones. Por lo demás, en ese momento, pensaba sinceramente que nunca la llamaría, incluso si, en alguna parte de lo más recóndito de mi psicología de donjuan contrariado, envidiaba a los tíos que la hubiesen llamado sin hacerse más preguntas, para aprovechar la oportunidad. Yo, yo lo tomaba como un bonito homenaje, me tranquilizaba sobre mi capacidad de suscitar la atención de las chicas, por muy cornudo que fuese, y luego punto final, basta, a dormir, se acabaron las bromas, tienes tu tristeza y tus problemas de pareja que solucionar, no es el momento de hacer el gilipollas, de todas formas no tendrías el valor de hacerlo y además, un número de teléfono dejado así en una mesa, tal vez tiene su encanto pero no es muy serio.

Por lo demás, tras seguir bromeando durante dos, tres minutos sobre el episodio, cambié de tema, metí la tarjeta en mi bolsillo, más por reflejo narcisista que con el objetivo de llamar a esa chica, cosa de permitirme creer, durante las cuarenta y ocho horas que iba a pasar en Romanza, que podía poner un poco de picante en mi vida de marido fiel durante tantos años, luego engañador, luego culpable, engañado, imperdonable, saqueador del amor y atrapado en la necesidad de redimirse a cualquier precio a ojos de su mujer cuya confianza había perdido para siempre. Pagamos rápidamente la cuenta, le dimos las gracias al camarero, y volvimos caminando a casa, donde mis preocupaciones no tardaron en reaparecer. No había dejado de pensar en Alexandrine, en nuestra última pelea, esa misma mañana, justo antes de mi salida hacia el aeropuerto. Tampoco te hablaré de las razones de esa pelea. Digamos, para ser breve, que quise hacerme el hombre para reconquistarla, digamos que quise hacerme el mobalí para solucionar mi traumatismo, y que me salió mal. Nada físico, no, no, solo unas palabras, un rostro duro que quise poner y que se volvió contra mí porque no era mi verdadero rostro. Pero, también en este caso, hay un contexto. Dormíamos en casa de nuestros mejores amigos y yo acababa de desmoronarme ante Grégoire, estaba llorando en el balcón cuando Alex y Lou llegaron antes de lo previsto para cenar. Me desmoroné ante Grégoire porque eso era lo único que podía ayudarme en ese momento, y no intenté realmente ocultar mis lágrimas cuando aparecieron las chicas porque era un mensaje que le lanzaba a Alexandrine delante de testigos cercanos para obligarla a admitir que era preciso que me ayudase, que volviese a mí, que dejase de hacerme pagar, que con su mobalí ella ya se había tomado, y de qué modo, su revancha, y que tal vez podíamos volver a empezar uno y otro con un poco de dulzura, ¿no? Al verme enjugar mis lágrimas sin esforzarme mucho por dar el pego, Alex solo pudo expresar su ira por mi indiscreción fusilándome con la mirada, y, para serenar los ánimos, Lou de inmediato se la llevó a cenar a un restaurante del barrio. Yo pasé la velada a solas con Grégoire preguntándome, más allá de mi alivio pasajero, con qué salsa me comería Alex al llegar. Tal vez por eso opté por acostarme sin esperarla y a la mañana siguiente, al despertarme, decidí ponerle mala cara: para salirle al paso esta vez, para evitar que ella me la pusiera antes a mí, la carota, para probar otro método. Y no le gustó ni un poquito, a Alex, que me hiciera el duro. Nos gritamos, seguí haciéndome el mobalí intentado creérmelo un poco y, ya que estaba, para tratar de darle un mínimo de credibilidad a mi gesto, me marché al aeropuerto dando un portazo, revanchista pero a fin de cuentas culpable de dejar a su vez a Alex deshecha en llanto en el apartamento, sin decirle adiós, porque estaba harto de todo, esa es la historia. En resumen, pasó exactamente lo contrario de lo que yo tenía previsto. Digamos sencillamente que, una vez más, era un problema de incompatibilidad de caracteres, una vez más, la incomunicabilidad crónica entre ella y yo. Me sentía mal por eso también, en Romanza, quería pedirle perdón por esa mezquina forma de irme al aeropuerto, decirle que le había comprado unas cremas de belleza de gama alta en la boutique de Frati Artigiani esa misma tarde, que estaba mal pero que la amaba como un loco, que a partir de ahora sería un marido ejemplar, que incluso dejaría, puesto que ella me lo pedía con tanta insistencia, de sufrir como un crío por su infidelidad en Kodong con un hombre tan distinto a mí, que me hacía sentirme aún más poca cosa con su torso de atleta y sus modales de tío que había hecho lo que tenía que hacer con ella sin darle más vueltas, que iba a digerir todo eso como un adulto responsable, que ella nunca más lamentaría haber confiado en mí y que teníamos toda la vida por delante. Lleno de energía, impaciente por hablarle

de mi buena voluntad, le pido su móvil a mi padre que se
va a acostar, le deseo buenas noches a todo el mundo y voy
a aislarme en la terraza, en penumbra, con las luces de Romanza allí abajo y, rodeándome, las copas de los cipreses
que se recortan en la noche. Llamo a París, me contesta
Alexandrine con frialdad, y entonces, es terrible, no hay nada
que hacer, me paso una hora y cuarto al teléfono intentando
justificarme en vano, no hay nada que hacer, ella rebate uno
por uno mis argumentos, me llama mentiroso, me demuestra con su retórica implacable que soy un monstruo, y como
de costumbre, termino creyéndolo yo también y eso me
hace sentirme aún peor, la culpabilidad se me incrusta tanto
en la piel y la sensación de que esto nunca terminará es
tanta que quiero morirme. Ella me dice que no tiene nada
más que decirme, que va a pensarlo, que ni mucho menos
está segura de amarme y de que aún valga la pena lo nuestro, y luego colgamos. Yo, yo sé muy bien que no lo piensa
realmente, sé bien que me ama y que el final de nuestra historia es inimaginable, sé todo eso pero sin embargo rompo
a llorar quedamente porque es demasiado duro, porque se
la está cobrando sin parar desde hace tres meses y medio,
incluso me reprocha que sufra demasiado por haber sido
engañado por ella y su mobalí y que le pida en consecuencia cariño para ayudarme a pasar el mal trago, ella me había contestado una semana atrás ante mi petición de dulzura y de comprensión, ante mis jeremiadas: «Te las apañas
tú solo, hazte cargo de tus cosas, no soy ni tu madre ni tu
enfermera», nunca me he sentido tan solo, nunca hasta ese
punto en un callejón sin salida, entonces rompo a llorar
para mis adentros, sin hacer ruido, para que no me duela
tanto, porque he terminado por comprender que, en estos

casos, cuando no te queda otra solución, cuando es demasiado, demasiado imposible, demasiado sin salida, es lo único que puedes hacer —porque, sabes qué, los treinta, también esperé a tenerlos para aprender de nuevo a llorar—. Lloro mirando las luces de Romanza allí abajo, los cipreses, la noche, y me digo que es una lástima no ser capaz de entenderse con la mujer que amas ante un marco tan propicio para el amor.

Me quedo postrado en la terraza una media hora, mis pensamientos en un callejón sin salida, intentando en vano no pensar en nada para sosegar mi cabeza. El contraste es demasiado fuerte entre los ojos de odio que Alexandrine posa ahora en mí y los jadeos de placer que imagino exhaló cuando su mobalí se la follaba en su habitación de hotel, en Kodong. Me lo imagino a él, tranquilo, dueño de sí, avezado, casi indiferente, y ella, paralizada por la novedad, por los pectorales y los brazos perfectos de ese tío. Intento pensar, como lo he hecho cuarenta veces al día desde hace un mes, que es una situación banal, que a cada instante en alguna parte del mundo una mujer engaña a su marido, que después de todo no somos más que animales. Intento racionalizar las cosas fríamente pensando que solo es una cuestión de contacto entre dos partes del cuerpo de dos seres humanos, la piel, la carne, la sangre y las mucosas, eso es todo. Intento imaginar la escena vista por rayos X, por un escáner, con el rojo que corresponde a las masas calientes, dos esqueletos agitándose frenéticamente uno contra otro, ¿te haces una idea?, con las raíces de las muelas interminables, el rictus mórbido de las mandíbulas y las cuencas oculares, intento pensar que no es para tanto, que incluso es para partirse de risa, intento pensar que Alexan-

drine es un ser humano como cualquier otro, de carne y
hueso, que no es una divinidad, que no es la mujer más
bella de la tierra ni la más sexi, que hay otras mujeres, que
es una mujer más entre millones de mujeres sobre la tierra,
me digo: «¿Pero quién es ella para que me ponga en semejante estado?», y luego: «Pero por qué me rebajo tanto, yo no
soy un cualquiera tampoco, ¡coño!». Me digo: «Deja de sa-
cralizarla tanto», intento relativizar desesperadamente, pero
no hay nada que hacer, Alexandrine me impresiona demasiado, es demasiado alta, demasiado mujer, demasiado
fría, demasiado distante, demasiado severa, demasiado altiva, demasiado inteligente, demasiado exigente, demasiado
imprevisible, demasiado fulminante, demasiado punitiva,
demasiado crispada, demasiado áspera, demasiado per-
petuamente insatisfecha por todo, demasiado orgullosa,
demasiado agresiva, no lo bastante generosa, siempre me
tiene en ascuas, he pasado demasiado tiempo esperando
algo de dulzura por su parte, como si fuese el Mesías, la he
deseado demasiado tiempo en la angustia y el sufrimiento
por todas estas razones, demasiado fuerte, demasiado en su
inaccesibilidad, demasiado en la intranquilidad, la cama
entre nosotros no era cosa de broma, era un drama, se había convertido para mí en un vector de angustia absoluta,
y no había forma de tomárselo a broma, Alexandrine nunca
ha bromeado con eso, Alexandrine realmente jamás ha bromeado a secas. Imagino su coño, que yo conocía de memoria y al que amaba más que a nada en el mundo, cu-
bierto por otro, sin previo aviso, después de años y años en
mi poder exclusivo, tantos años durante los que no pensé
ni por un instante que algún día podría pertenecer a alguien
más que a mí, aunque fuese por tres noches solamente. Ella

no. Ella no, ¡por favor! Otra, vale, cualquier otra, pero ella no, ella no bromeaba con eso. Y eso me impresionaba tanto, que ella no bromease, me angustiaba tanto, eso me ponía tanta presión, su severidad al respecto. Toda la tensión que se había instalado entre nosotros después de tantos años, se materializaba en buena medida sobre este punto preciso. Por eso me mortificó tanto, saber que el cabrón del mobalí la había vuelto loca y que ella hubiese hecho cualquier cosa para que la tocase una vez más. No tanto por lo que él le había hecho —Alex incluso reconoció tiempo después, tal vez para complacerme por cierto, que no fue tan maravilloso tampoco y que en el fondo yo no estaba tan mal—, sino porque él encarnaba la embriaguez de la novedad, porque él no era yo. Ella no, era demasiado duro. Si al menos eso la hubiese llevado a mirarme con un poco de piedad, su escapada, si al menos eso hubiese provocado un gesto de cariño hacia mí, si al menos eso la hubiese relajado y vuelto más ligera conmigo. En resumen, si al menos eso la hubiese calmado y vuelto simpática conmigo. Al contrario: ¡me ponía aún peor cara que antes! No me perdonaba, no solo haber querido dejarla tres meses antes, no solo haber estropeado a sabiendas con mis jeremiadas su «paréntesis hechizado», como ella lo llamaba, pero sobre todo no ser ese tío. Fue el sentirme tan fuera de juego lo que más me afligió, sentir que ella ya no me amaba. Sí, no era tanto el acto en sí mismo como la personalidad y el carisma de Alexandrine concentrados en este acto lo que le confería toda su dimensión dramática, vertiginosa. Al haber llegado hasta el final con ese tío, habiendo hecho, ella sí, algo más que besuquearlo y jugar a los médicos con él, había adquirido una ventaja psicológica considerable sobre mí. Ya sé que no es el fin del mundo, un descarrío en la pareja. Pero en este caso, sí, te lo aseguro, *era* el fin del mundo. Y eso no solo tiene que ver con mi sensibilidad particular sobre el tema. Otra mujer cualquiera, más banal, más simpática, menos angustiosa, más relajada a ese respecto, una tía más *normal*, me hubiese mortificado menos, es una idiotez pero estoy seguro de que es así. Me habría golpeado, por supuesto, me habría hecho polvo, hubiese torcido el gesto un poquito, lloriqueado un poquito también. Hubiésemos hablado, sin llegar a disculparse ella me habría dado a entender que era a mí a quien amaba, me habría hecho unos mimos y todo esto hubiese terminado tarde o temprano con una buena sesión de cama. Es porque Alexandrine era del tipo que no bromeaba y tenía un poder absoluto de vida y muerte psicológica sobre mí que este episodio banal cobró una dimensión desproporcionada en mi cabeza, y también dramática. Es solo una cuestión de proyección, de imaginación, es solo una cuestión de posicionamiento con respecto al otro. Alexandrine tan mujer, tan adulta, demasiado adulta, tan fría, tan severa, tan llena de ira, tan exigente, tan intransigente, tan impresionante, tan ruda a menudo, Alexandrine poderosa y magnética, con su angustia contagiosa, Alexandrine que me había puesto a sus pies al hilo de los años, a mí, tan fuerte y tan orgulloso, como nadie lo había hecho antes ni nadie lo ha hecho después, nunca. Y lo sabía perfectamente, que podía hacer conmigo lo que quisiera. Ahí estaba también, el lado retorcido de nuestra relación: hacía conmigo lo que quería, y yo, yo me dejaba, por miedo a que me odiase si me defendía, creyendo complacerla con mi obediencia cuando eso la horripilaba, semejante molicie por mi parte, semejante sumisión, semejante imposibilidad de encontrarme, a mí, y no al que yo pensaba que ella quería que fuese. Entre nosotros, las cosas siempre fueron mezcladas, pasionales, nunca indiferentes. Sabes, nunca logré, después de tantos años, hastiarme de ella. Incluso nuestros hijos ocupaban un segundo lugar. Ella era lo primero. Ella, ella, ella, siempre ella. Por más que pasaba el tiempo, yo la miraba siempre igual que un crío mira a su madre. Estaba orgulloso de pasearme a su lado, me resultaba hermosa en todo lo que hacía, escrutaba hasta el más mínimo de sus gestos en adoración: pensaba que era la chica que mejor se vestía del mundo, que mejor se maquillaba, que tenía más clase, ella la que tenía el mejor gusto para todo, el mejor sentido del arte de vivir, ella la que mejor sabía recibir a sus invitados en casa, ella la que mejor sabía dotar de alma una casa, ella la que hablaba mejor, la más inteligente de las mujeres, la más cerebral, la más fantasiosa, la más sexi, la que mejor follaba —tanto más idealizada cuanto que no quería saber nada de mí—, la que bailaba mejor, la mejor cocinera del mundo y también la mejor madre del mundo, aunque me costaba ponerle la etiqueta de *madre* por lo excitante que la encontraba, más excitante todavía que el primer día, cada vez más excitante con la madurez, que ella era la que tomaba las mejores decisiones, por cierto, yo siempre la dejaba decidir y hablar por mí de lo orgulloso que estaba yendo del brazo de una mujer así. Todos sus fallos, todo lo que objetivamente podía hacer mal así como todo lo que había dejado de hacer conmigo para demostrarme su ternura, todos sus defectos tenaces desde el primer momento: ponerme mala cara veinticuatro horas al día, leerme la cartilla a cada momento, saber instalar como nadie un clima de tensión, complicar las situaciones, la intimidación y la culpabilización que ejercía sobre mí sin reparo, las palabras gratuitas que hieren, sus miradas sombrías que me helaban, dejarme bien claro que yo todo lo hacía mal siempre, nunca contenta, siempre insatisfecha, demasiado exigente, muy pocos mimos, muy pocas palabras dulces, muy pocas miradas amorosas, la versatilidad, la imprevisibilidad, las ambiciones veleidosas, su pesimismo crónico, el orgullo, la violencia y la ira siempre amenazadoras, resumiendo, todo lo que en el fondo de mi alma yo reprobaba en ella, nunca se lo señalaba ni le hacía poner el dedo en la llaga por lo mucho que temía que me guardase rencor por cuestionarla, y, de todas formas, si hubiese intentado cuestionarla abiertamente, ella erre que erre me habría demostrado que la razón estaba de su parte, y, cansado de antemano por la perspectiva de un conflicto, yo hubiese terminado callándome y diciéndole, y diciéndome: «Tienes razón», «Tiene razón». En dos palabras, por muy orgulloso que yo sea también por naturaleza, por muy sobredimensionado que esté mi ego, me sometía a ella igual que un crío ante su madre. Y, sabes, al cabo de tanto tiempo, eso terminó minándome completamente, sin que me atreviese a reconocer ni ante mí mismo ni ante nadie ni por un segundo que era desdichado. Había decidido ser y mostrarme feliz sin plantearme ni una sola vez la pregunta de los parámetros de mi propia felicidad. La cuestión de mi plenitud y de mi equilibrio, ni siquiera se me ocurría planteármela, *no hay problema, no hay problema*, te repito. Todas las demás parejas me parecían más apagadas, menos luminosas, menos apasionadas, no tan hermosa como la que formábamos Alex y yo, pero muchísimo más equilibradas, mejor acopladas, y objetivamente más serenas sexualmente. Parafraseando a un personaje de *Plataforma*, de Houellebecq, cuando miraba a las demás parejas, a algunas parejas de amigos, yo sabía que follaban, que follaban con amor y felicidad. Personalmente, añadiría «con despreocupación». Y ahora, tú me dirás: «¿Pero por qué te ponías en ese estado? Nadie te obligaba a ponerte en ese estado. ¿Qué tenías que reprocharte a ti mismo para angustiarte y encerrarte así tú solito?». Ahora me dirás que yo también tengo mi personalidad y que no tenía ningún motivo para minimizarme. Yo te responderé sí, tienes razón, tienes toda la razón, pero esto exigiría tratar la personalidad de Alex y su historia para ayudarte a comprender en qué sentido ella también estaba obnubilada por mí y cómo esto la volvía dependiente y agresiva conmigo, y cómo yo mismo sentía la necesidad de minimizarme para intentar minimizar a sus propios ojos su total dependencia de mí. Y, por respeto hacia ella, de ningún modo voy a aventurarme ahora a decirte cosas de Alexandrine que a ella no le gustaría que contase. Era retorcida, era completamente retorcida, esta historia. Nos hemos amado como locos pero de forma demasiado retorcida, haciéndonos demasiado daño. Te lo juro, la cosa terminaba rozando el sadomasoquismo, uno de los dos tenía que romper este círculo infernal, ¿no? Mi psicóloga resumió el asunto bastante bien diciéndome, no hace mucho: «En suma, estabais, tanto uno como otro, frente a dos imágenes, a dos representaciones que os superaban». Ya sé que, dicho así, para alguien ajeno a nuestra historia, para alguien «normal», diría, no tiene sentido, sé bien que realmente no te aclaro nada con esto. Pero, te lo repito, no voy a entrar en explicaciones minuciosas, nos llevaría horas. Todo esto para decirte que no vengo con el software de la combatividad en pareja, sabes, ese es mi problema. Yo, en general, me niego a concebir las relaciones humanas en términos de conflicto y de dominio cuando eso era lo único que había con Alexandrine, sobre todo en el amor. Yo, sabes, no pensaba que el amor con Alexandrine era también una guerra, y tal vez eso era lo que ella esperaba y nunca obtuvo de mí: que luchase como un hombre.

¿Sabes lo que le dije, además, la víspera de su salida hacia Kodong? —porque intuitivamente, sabes, yo veía venir lo del mobalí, forzosamente, lo veía venir—. Estábamos en el cuarto de baño de nuestra casa, en Tanambo, yo la miraba mientras se preparaba, estaba sentado en el suelo, empalmado —porque, hasta el último momento de nuestra historia, a mí se me empalmaba a lo bestia con ella, ¿sabes?—. Ella acababa de hacerse un *brazilian waxing* en la peluquería —ya sabes, la depilación casi completa del sexo, labios externos incluidos, ¿te haces una idea?—. A mí, por supuesto, eso no me resultaba nada anodino, depilarse así la víspera de irse de vacaciones sin mí ni los niños, sin duda no se lo había hecho para mí puesto que hacía tres meses que no dejaba que me acercara después del episodio con la cantante, yo no las tenía todas conmigo, ¿y sabes lo que le dije? Le dije: «Alex, si me engañases en Kodong, después de lo que te hice, lo comprendería muy bien, no tendría tanta importancia». En esa época, como te decía, ya no sabía qué decir ni qué idear para redimirme, estaba dispuesto a todo para hacerle olvidar un poco mi puñalada por la espalda y hacer que dejara de atizar en mí un sentimiento de culpa insoportable. Y ahí descubro que entre las palabras y los actos, entre la proyección y la realidad, hay un mundo. Descubro que no soy más que un bocazas, que nunca he sufrido tanto en mi vida como ese día de principios de agosto cuando, una semana después de su regreso de Kodong, entre dos canastas de baloncesto con los niños en el patio de nuestra casa, con el corazón palpitante descubrí hojeando una de sus libretas íntimas que ella había caído presa de una pasión carnal por otro, que le hablaba en inglés, que la había trastornado completamente con su cuerpo de atleta, con su boca y con su polla, que se hacía el indiferente, que la dejaba esperándolo sin llamarla, que le hacía pasar noches en blanco esperándolo, que la volvía loca hasta el punto que ella decía que sería capaz de recorrer día y noche todo Kodong en su busca. Abrí temblando esa libreta dejada bien a la vista en la mesa porque sabía que encontraría todo lo que barruntaba desde hacía una semana y que no debía saber, leí, leí palabras amorosas para otro, palabras con, en su interior, toda la distancia y toda la indiferencia consumadas respecto a mí, palabras que llevaban dentro la obsesión de la que sufre, de la que ya no come y ya no duerme porque está enamorada, leí y ahí, te lo juro, creí desfallecer, literalmente, *creí desfallecer*, ahora comprendo perfectamente la expresión, no hay otra palabra. Es como una explosión instantánea en tu esternón, seguida de inmediato por una especie de onda expansiva nítida que llega directamente hasta la raíz del pelo dejándote exangüe a su paso, como una especie de morfina sorda y pérfida que no puedes detener y que se instala en tus venas. En medio segundo, me volví un flan de la cabeza a los pies: el cielo azul, los plátanos del jardín, los ruidos de los críos del barrio en la calle, el universo entero estalla de golpe en tu cabeza, o más bien, eres tú el que explota en un universo que, por su parte, permanece como si nada, con el

cielo que sigue siendo azul, las ramas del plátano que siguen balanceándose lentamente en la brisa de la tarde y los
chicos del barrio que siguen jugando al fútbol. Ahí, tú, tú ya
no juegas, ahí tú comprendes que es posible llevarse las
manos a las sienes y gritar de dolor, romper todo lo que te
rodea e ir a tirarse bajo las ruedas del primer coche que
pase, que eso no solo ocurre en las pelis, que los actores no
han inventado nada. Descubres las sensaciones extremas
del ser humano, te descubres vivo, frágil, olvidas tu sosa ironía anterior a los problemas y encajas un buen puñetazo en
plena jeta. Estaba solo con mis hijos, el sol se ponía, el crepúsculo era maravilloso, el cielo estaba completamente te-
ñido de un rojo intenso, Alexandrine había salido a hacer
unas compras, volví a jugar al baloncesto y al tejo con ellos
como un zombi sobre todo para no acostarme en el suelo
de mi cuarto de baño y no volver a levantarme nunca más
—tengo un instinto de conservación de hormigón armado,
te recuerdo—. Saltaba como un loco debajo de la canasta
mientras la noche caía como una piedra, me reía como un
loco, aplaudía como un loco en cuanto mi hijo encestaba o
mi hija hacía un recorrido de ida y vuelta completo por sus
casillas, esa era mi forma de negar la realidad, seguí jugando solo como un loco en la noche oscura cuando mis
hijos se metieron en casa, gesticulaba como un poseído
mientras acechaba de reojo la aparición de Alexandrine,
corriendo como un desesperado hasta el portal cada treinta
segundos con la esperanza masoca de volver a ver su rostro ausente de mujer adúltera al que amaba enfermiza-
mente, sin duda fue, creo, la peor hora de mi vida. Y yo
que, sin haber estado nunca, veía Kodong sin ningún in-
terés particular, justo como una capital que se podía visitar

como cualquier otra, yo que hasta entonces solo asociaba Kodong con inofensivos clichés de postales, con difusos templos ornados, con Budas dorados, con una cocina refinada y aroma de citronela y con una lucha violenta donde los golpes con los codos y las rodillas están permitidos; pues bien, esa ciudad empezó a saltarme al cuello. Empecé a odiarla igual que odias tú solo en tu esquina a un rival demasiado fuerte pero que finalmente no te quiere ningún mal, que vive su vida tranquila, indiferente a tu odio mezquino. Kodong, es demasiado fuerte para mí, sobre todo vista desde mi agujero perdido de Tanambo, a siete mil kilómetros de distancia. De haber vivido en París, quién sabe. Yo hubiese podido pensar, más o menos, que ella se había dado su caprichito exótico. Pero así, fue en Tanambo donde encajé el golpe de Kodong. Porque conozco bien esas grandes ciudades asiáticas: Singapur, Yakarta, Kuala Lumpur, en estas ya he estado, incluso fuimos juntos, Alexandrine y yo, nos fascinaban a los dos, las adorábamos. Las conozco, sé muy bien a qué nos remiten: son el corazón del planeta, esas ciudades. Vistas desde Europa, con nuestro etnocentrismo, no nos damos cuenta. Pero, cuando estás allí, comprendes de inmediato que es otra dimensión, que no te habían descrito aquello así, o que tú no lo creías realmente al escuchar a la gente describiéndote aquello así, comprendes de inmediato que en Europa, eres tú el que está lejos del mundo. Es un universo inaudito, urbano a muerte, *high-tech,* modernísimo y desbarajustado a la vez, internacional, no son solo los viejos imbéciles barrigones que vienen de putas, no es solo eso ni mucho menos, está lleno de jóvenes expatriados anglosajones de buena familia y de turistas guapos, lleno de una hermosa juventud internacio-

nal que ha venido a gozar y a vivir su juventud, son todas
las lenguas, es la mejor comida del mundo, es novelesco a
muerte, es inaudito, son ambientes de película con cantinas
ruidosas iluminadas con neones, centros comerciales enormes, riadas de gente, de sonidos, de olores, de vapores
pegajosos, de cielos cargados de tormentas, de cielos bo-
chornosos y opulentos cebados de humedad tropical y con-
taminación, es desmesurado, son lugares para la aventura,
para los encuentros fugaces y para las pasiones, las pasiones sexuales y las pasiones a secas, es la aventura a secas,
son rincones que pueden cambiar tu vida, hacer que veas la
vida de otra forma, es inaudito, te digo, inaudito, en dos palabras, el corazón del planeta visto así desde la ridícula Tanambo, a siete mil kilómetros, era demasiado para mí. Te
lo juro, esas capitales del sureste asiático son impresionan-
tes. Hay que haber estado allí para comprender hasta qué
punto te sientes pequeño y fuera de juego cuando tu mujer
te la ha pegado allí mientras tú, tú rumiabas tu culpabilidad
en tu agujero del culo del mundo. Y ella lo hizo sin mí,
allí, en esa cosa enorme que me fascinaba tanto como a ella.
Que te follen en Kodong no es cualquier cosa. Allí estuvieron
juntos en una discoteca, juntos en un restaurante, cogieron
rickshaws y el metro juntos, allí, caminaron juntos por las
aceras agarrados de la mano aventajando en una cabeza
a los otros transeúntes, ella no dormía a la espera de sus llamadas, incluso había perdido el apetito, su ausencia la enlo-
quecía, vivía para volver a verlo, ella le hizo fotos desnudo
sobre la cama de su habitación, ha escrito en su libreta que
le hubiese encantado que se la tirase en los baños públicos
en el momento culminante de un combate de lucha shogane,
eso la excitaba, ella se exhibió por todas partes con ese tío

allí, Kodong, para ella, era él, los dos hicieron no sé qué cosas que los convirtieron en los reyes del mundo durante todo el tiempo que pasaron juntos. Ella vivió su historia de pasión carnal sin mí, de pasión a secas, ella enloqueció con el cuerpo perfecto y la indiferencia de ese tío en su habitación de hotel climatizada mientras que, fuera, el corazón del planeta se agitaba. Y, hoy en día, sabes qué, no hay que hablarme de Kodong, no hay que hablarme de las últimas películas estrenadas en los cines de Europa que en un cuarto de hora pueden grabarte en las calles de allí en DVD por solo 5 dólares, de las superimitaciones de no sé qué marcas: Kodong, para mí, solo es Alexandrine y su mobalí follando en inglés como dos titanes del sexo en pleno corazón del planeta.

Kodong me saltaba al cuello igual que me saltaba al cuello ese mobalí que no me deseaba lo que se dice ningún mal, que requetepasaba olímpicamente de mí, pues el único punto en común que aceptaba de buen grado tener conmigo era que había ido a follarse a mi mujer durante tres noches en su habitación de hotel. Empecé a sentir náuseas ante la sola mención del país mobalí que tampoco me había hecho nada, a sentir náuseas ante los altos y guapos negros anglófonos tan bien plantados, a sentir náuseas escuchando la música R'n'B con la que habían bailado y se habían besado en las discotecas, a sentirme especialmente asqueado con la canción *Spinning 2gether* de los Marronese Phunkers, que ella puso el mismo día de su llegada en nuestro lector de CD, antes incluso de terminar de desempacar sus maletas, con su mirada ausente, indiferente, todavía allá, con sus sonrisas de lejana compasión hacia mí, con sus suspiros impotentes e irritados, como para recordar los momentos en que, en la pista de baile de la puñetera superdiscoteca de Kodong, él la hacía moverse y girar tan bien, él. Digo esto porque, con la canción de los Marronese Phunkers, mientras ella desempacaba sus cosas y bailaba con su aire ausente ese día, con esa canción, yo también, yo intentaba bailar, estaba en calzoncillos, intentaba alegrarla y le sonreía todo le que podía, aunque, incluso sin haber puesto todavía los ojos en esa puta libreta, sentía ya que ella pensaba en otro hombre y que, sus medias sonrisas y sus suspiros lejanos, no iban destinados a mí. La prueba es que, mientras sonaba *Spinning 2gether* en el equipo, al verme debatirme en calzoncillos como un gilipollas sobre el humilde enlosado de nuestro comedor para cautivarla, al verme imitar tan pobremente a los hermosos bailarines negros de R'n'B que ella veía durante horas en *Brozasound TV*, al verme haciendo mis modestos esfuerzos a pesar de todo para cautivarla y parecer sexi mientras un presentimiento atroz ya empezaba a destrozarme lentamente bajo mis sonrisas inmensas y demasiado crispadas, por caridad sin duda terminó acercándose a mí y me dijo: «Adelante, hazme girar un poco, a ver qué tal». Entonces, yo, aun detectando inmediatamente el tono de desafío en su voz, temblando como un gilipollas, sabiendo ya sin saber, descifrando con una agudeza animal sus miradas y sus sonrisas de una nostalgia dirigida a otro, sabiendo que para mí era una apuesta a doble o nada intentar llevarla tan bien como él, sabiendo que estaba derrotado de antemano, pues bien, a pesar de todo lo intenté, me atreví a acercarme a ella y tomarla de la mano, a pesar de todo seguí sonriendo como un loco y aplicándome como un gilipollas. Y, al cabo de quince segundos de reloj, ¿sabes lo que me dijo? Se soltó suave pero firmemente de mis brazos suspirando, desvió los ojos con un rictus de amargura y solo me dijo: «Déjalo estar». Lo peor, sabes, lo peor es que a pesar de lo destrozado que me había dejado la frase, no paré de bailar. Era un pobre blanquito de talla y peso demasiado medianos, culpable y cornudo sobre el enlosado del comedor, y a pesar de todo seguía bailando en calzoncillos, exactamente igual que la gallina decapitada en su corral, ídem. Debió escucharla veinte veces, la canción, Alexandrine. Y, veinte veces, tuve que rehuir sus miradas y sus suspiros ausentes para no arrojarme a sus pies y gritarle que me confesara si había otro y que no valía la pena negarlo, que eso se veía a miles de kilómetros, que se había enamorado, y que me culpaba por haber tenido que volver al redil, a este agujero de Tanambo en el culo del mundo, que se había notado desde su bajada del avión, esa bajada del avión que yo escrutaba como un gilipollas desde los ventanales del aeropuerto de Tanambo. Gafas negras, altiva, severa, sexi, fría, intransigente, considerablemente más delgada, enfundada en una ropa que no le conocía, look de estrella de R'n'B melancólica y enojada, rostro impenetrable, había bajado los escalones de la pasarela mucho más lentamente que de costumbre, ojos bajos, sin una sola mirada hacia los ventanales donde yo la esperaba con los niños, sin prisas por reencontrase con nadie, justo con la lentitud de quien desea permanecer en el avión y marcharse de nuevo en sentido contrario para reencontrarse con la embriaguez de esa puñetera capital asiática donde había ido a comprar ropa interior sexi para gustarle a él, donde se había dejado besar con lengua, chupar los senos, toquetear el conejo y penetrar en inglés en todas las posiciones en ese puñetero hotel climatizado durante tres noches por ese puñetero mobalí que se vestía y bailaba como R. Kelly y a quien ella tampoco había dejado de tocar, besar y chupar en todas las posiciones. El numerito ese de «hazme girar un poco, a ver qué tal» y el del baloncesto en el patio con los niños, son las peores horas de mi vida. Peor aún que el momento de la canción que le canté, todavía en ese cacareado día de su llegada, que había previsto cantarle para, por enésima vez, intentar hacerme perdonar mi cabronada de hacía tres meses y de la que no lograba recuperarme más que ella, una hermosa canción en portugués que había ensayado para ella aprendiéndome las palabras, la pronunciación y la melodía de memoria durante toda la semana en mi cuarto y que le canté por la noche a modo de bienvenida, en el cuarto de baño, aplicándome como un gilipollas, que canté especialmente para ella conteniendo la respiración, lo más afinado posible, mirándola fijamente a los ojos, con unas terribles ganas de llorar en los míos pensando en lo que le había hecho, con una voz aguda a lo Curtis Mayfield porque ella me dijo un día que le encantaba escucharme cantar agudo, salvo que, esa noche, sin duda todavía colmada con la voz de bajo de su mobalí del que escribió en su libreta que el timbre «black» la volvía loca, sin duda también porque no soy Curtis Mayfield, hay que reconocerlo, salvo que esa noche, pues, dejó bruscamente de gustarle mi voz aguda. Al terminar la canción, me dedicó una inmensa sonrisa, una inmensa sonrisa de piedad que sonaba de lo más falsa, diciéndome, esta vez con una suavidad de golpe de gracia: «Ha estado bien, gracias, qué amable eres, es algo muy tuyo. Pero deberías intentar cantar más grave, sería mucho mejor». Peor aún que al día siguiente por la noche, cuando, tras decidir llevarla en plan enamorados a un restaurante, a tomar una copa y luego a bailar para demostrarle cuánto me importaba y cuánta felicidad quería fabricar con todas mis fuerzas para intentar que creyese de nuevo en nosotros, cuando, viéndome lloriquear quedamente verdaderas lágrimas a eso de la medianoche mientras yo mismo evocaba todo el mal que le había hecho, ella me tendió sin mirarme un pañuelo por encima de la mesita baja donde estaban su caipiriña y mi punch de coco. Peor aún que cuando, una hora después del bar, de camino hacia la discoteca, en el coche, encajando por doscientas quincuagésima vez en la cara y en el vientre su silencio, su aire ausente y sus suspiros distantes, le pregunté por tercera o cuarta vez esa noche con mi vocecita melosa de cornudo putativo si estaba segura de que todo iba bien y en que, fríamente crispada, terminó dignándose girar su rostro hacia mí, se dignó clavar en mí sus ojos que tan bien sabían destrozarme y me concedió un: «Oye, vas a tener que dejar de preguntarme si estoy bien cada cinco minutos porque, si sigues así, voy a terminar poniéndome nerviosa de verdad y las cosas irán efectivamente mal. Así que no lo estropees todo, por favor. Si te digo que no pasa nada, es que no pasa nada». Peor aún, finalmente, que ese otro cacareado sábado al mediodía cuando, sentado a su lado al borde de nuestra cama, no resistiendo más pues ya hacía una semana que había descubierto la existencia del mobalí en su libreta azul de viaje y que sufría solo en mi rincón para no molestarla demasiado, que sufría solo tanto porque no quería molestarla como porque ahora comprendía perfectamente lo que ella pudo sentir con el numerito de la cantante y que en consecuencia era imposible que algún día me perdonase completamente, cuando, pues, terminé suplicándole que me dijese la verdad, que me dijese si había alguien, que necesitaba oír de su boca la verdad porque, incluso si ya lo sabía, incluso si estaba seguro, incluso si tenía pruebas, no podía estar completamente seguro mientras ella no me lo dijese, ella, y que dolía aún más que la cruda verdad, esa duda que ya no era tal. Cuando, viéndola negar la evidencia por quincuagésima vez con un aplomo vengador, al límite del sadismo, sintiendo que me convertía de día en día en un andrajo de lágrimas y sufrimiento, terminé usando un arma completamente antirreglamentaria, totalmente contraria al juego limpio, lo reconozco. Tras quedarme sin argumentos, le dije: «Júramelo sobre la cabeza de los niños, jura que no hay nadie». Cuando, tras dos o tres segundos de un brusco silencio que ya lo decía todo, ella exhibió esa irreprimible sonrisa de liberación, su primera sonrisa de verdad desde su regreso, una sonrisa que le permitía por fin pensar a cielo abierto en su mobalí, cuando, pues, sonrió así y me dijo: «No, eso no, no puedo, los niños, no puedo. Sí, hubo alguien», cuando escucharlo quedamente de su boca con esa sonrisa de alivio y felicidad me provocó el efecto de un cañonazo en el corazón, me hizo caer de golpe de la cama y gritar lágrimas hablándole al techo, te lo juro, caí de espaldas en el suelo con toda naturalidad, sin forzarme, y grité «¡¡¡¡Nooooooo!!!!» dos o tres veces seguidas con mis dedos crispados en mis mejillas, exactamente igual que en las películas, pero sin puesta en escena, sin teatralidad, sin siquiera pensar una fracción de segundo que mi gesto y mi grito podían parecer una mala escena de una mala serie de la tele. Me caí y grité queriendo magullar mi rostro con mis dedos, arrancándome el pelo, sintiendo que mis mejillas y mi frente acababan de perder toda su sangre de golpe. Demasiado dolor, te lo juro, todo esto. Demasiado dolor en detallitos gilipollas de ese estilo, en acumulaciones de ese estilo que no tienen nada que ver pero que ya no te sueltan.

Ahora ya puedes hacerte una idea del estado en que me encuentro, en la terraza de mi padre, justo después de la deprimente llamada a Alexandrine. Contemplo Romanza y los cipreses intentando no pensar en nada para no ir a tirarme a las aguas negras del Fiume. Y entonces pasa algo que te demuestra que, también en esto, los guionistas de las pelis no han inventado nada. Te lo juro, así fue como pasó, no exagero. Estoy en la terraza, es la una y pico de la madrugada, decido ir a acostarme, me levanto, tengo el móvil de mi padre en una mano y maquinalmente, sin ninguna premeditación, meto la otra mano en el bolsillo y mis dedos tropiezan con una cosa en la que ya no pensaba: la tarjeta del restaurante. Disculpa la simpleza, pero lo que me sale es decir que es una locura, la vida, me sale repetir que *realmente* no existe el azar. No, en serio, si examinas dos minutos la disposición de los sucesos, hay razones de sobra para creer en la astrología, en la magia, en las ciencias deterministas, en las ciencias ocultas, en todo lo que se te ocurra. ¿Te das cuenta de que solo tenía *dos* días para que me pasara lo que me pasó? La víspera, todavía estaba con Alexandrine en París y, día y medio más tarde, me reuniría de nuevo con ella y luego volveríamos a Tanambo para encontrarnos con nuestros hijos y la vida cotidiana. Ese fue el único momento del año, salvo Kodong a finales de julio, que no pasé con ella. Y es durante mi primera velada del año como soltero cuando recibo esas líneas. Es una locura, ¿no te parece? ¿No estás de acuerdo conmigo?

Y aquí te diría sencillamente que no fui yo quien decidió hacer lo que hice. A lo largo de todos esos años de matrimonio no engañé a mi mujer ni una sola vez y me volví indisponible, enclaustré todas mis tentaciones hasta el punto de que ninguna chica intentó de verdad algo medianamente serio conmigo. Y sin embargo, créeme, no fue por falta de ocasiones. Por lo tanto, en primer lugar, no sé qué ondas emitía esa noche para recibir esa tarjeta en mi mesa. Segundo, no sé cómo se me ocurrió llamar a esa chica. ¿El precedente con la cantante en Tanambo? ¿Ese lado «Probé una vez lo prohibido y repito»? ¿El instinto de supervivencia? ¿La mano de un ángel de la guarda? ¿La venganza? ¿El orgullo? ¿Un poco de todo eso? Ya no excluyo nada, hoy en día, sabes. Todo lo que puedo decirte, es que apenas si lo pensé, cogí el teléfono, entré en la casa y, para no despertar a nadie, fui a encerrarme en el cuarto de plancha, en medio de la tabla de planchar, los barreños de plástico, los botes de detergente y la lavadora. Incluso ese cuartucho, por cierto, sin ventana, iluminado por una bombilla desnuda, hoy sigue siendo un recuerdo superagradable. De modo que marqué serenamente el número escrito en la tarjeta.

Debió de sonar cinco o seis veces antes de que ella descolgase. Yo me decía que un sábado por la noche, a la una de la mañana, una chica que dejaba su número de teléfono en la mesa de un desconocido de ninguna manera debía estar acostada ya, que su noche incluso acababa de empezar. Imaginaba que estaría en una discoteca, algo así, con un montón de amiguetes alrededor, y que oiría muy mal lo que yo le dijera. A mí, que nunca le echo los tejos a nadie, la desesperación me daba fuerzas para todo. De pronto me sentía de humor para enfrentarme con quienquiera que estuviese al otro lado del hilo, a actuar, a tirarme faroles, a hacer de donjuán disipado, cualquier cosa. El teléfono suena cinco o seis veces, pienso que no lo oye por culpa de la música o por un exceso de alcohol, estoy esperando que su buzón de voz salte para olvidarme del asunto y, entonces, alguien responde. Nada de ritmos tecno de fondo, nada de bocinazos, nada de risas sonoras de los colegas, nada, ni un ruido, solo un *pronto* preocupado de mujer con voz muy ronca y grave a la que evidentemente he arrancado de su sueño. Yo sigo muy seguro de mí, muy fluido, adopto mi timbre lo más «macho tranquilo» posible, pregunto: «Alice? Do you speak english?». Me responde con un «Just a little bit» sin acento, yo pienso «Just a little *bite**» y le digo que soy el tío del restaurante a quien le dejó una tarjeta dos o tres horas antes. Percibo un silencio sorprendido, una amplia sonrisa algo incómoda al otro extremo, y encadeno directamente preguntándole si la despierto. Ella lo confirma, me disculpo, me dice que no me disculpe, que dormía profundamente y que creía que el teléfono sonaba en el sueño que estaba teniendo, no en la realidad, y que todavía se preguntaba un poco, en ese momento, si aquello no era una continuación de su sueño, tan profundamente se había dormido al volver del restaurante y tan irreal le parecía mi llamada a esas horas de la noche. La cosa arranca con este tipo de charleta, te haces una idea, verdad, hay *alguien* al otro extremo del hilo, hay una presencia, un interlocutor posible. Por cierto, que ella me confiesa inmediatamente su em-

---

* *Bite,* en francés, «pene». (*N. del T.*)

barazo con relación a su gesto, me dice riendo: «No sé qué me pasó, nunca suelo hacer este tipo de cosas, sabes». Yo, esta vez con un enfoque más tipo «seductor pausado», le digo que al contrario, que su gesto, lejos de chocarme, me intrigó mucho. No voy a repetirte la conversación, pero, en resumen, duró veinte, veinticinco minutos, durante los que, sin sentir la menor incomodidad, de forma muy directa, entre bromas y verdadera curiosidad de uno por el otro, intercambiamos dos, tres datos esenciales: ella es mucho más joven que yo, es de Monte pero provisionalmente ha venido este año a estudiar neuropsicología a la Universidad de Romanza, no habla una palabra de francés y su novio vive en Monte, adonde volverá para instalarse definitivamente dentro de unos días. Yo, yo soy francés, tengo diez años más que ella —por primera vez me he sentido viejo, es una sensación de lo más curiosa, te lo puedo asegurar—, estoy casado, dos hijos, vivo y trabajo al otro extremo del planeta, y estoy de paso en Romanza, solo dos días, para visitar a mi padre, a mi madrastra y a mi hermano pequeño, a los que no veo más que una vez al año, así, siempre al vuelo, sí, estaba con ellos en el restaurante. Ella no sale de su asombro, que esté casado, con dos hijos, me dice que al verme no se diría, que ella me calculaba como mucho veintisiete años. Le digo que me gustaría mucho conocerla antes de marcharme, pero lo hago por cumplir, en ese mismo instante me pregunto si me apetece tanto así. Me pregunta qué voy a hacer al día siguiente, le digo que el plan con mi familia es dar una vuelta por los alrededores de Romanza, le digo que tal vez podría llamarla al volver, me muestro supervago, de hecho, ya no sé muy bien lo que quiero, quisiera ir a acostarme, ya no estoy de humor y termino diciéndole que no espere mi llamada, que ya veré, tal vez el lunes, antes de ir al aeropuerto. Nos despedimos animados por la conversación pero tras una promesa muy vaporosa, un poco en el aire. *Vaporosa, en el aire*, me salen juegos de palabras involuntarios, disculpa. De modo que me voy a mi cuarto, donde encuentro mis cosas a medio desempacar sobre mi cama individual. Me acuesto, cierro los ojos. Por primera vez, la confusión es un refugio, interfiere con mi dolor, me duermo.

Al día siguiente, por la mañana, el mismo cielo azul gastado de final de verano. El tiempo es apacible y eso me apacigua. Me despierto, me ducho, buenos días, familia, desayuno en la terraza, cipreses de Toscana, fachadas ocres y tejas rojas, café, rebanadas de pan, mermelada, una auténtica cuña de televisión, qué bien me sienta Italia. Cuento en la mesa que finalmente llamé a la chica, quiero hacerme el despreocupado, minimizo, quiero jugar al jugador, ligero, controlado, irreductible, corazón sin piedad. No insisten. Mi padre y su mujer no me dicen nada. Saben de sobra que no estoy bien en absoluto y nadie sabe qué pensar de todo esto. Contienen el aliento, se preocupan de mi estado, me ven a dos pasos de la depresión, me compadecen impotentes, es todo lo que pueden hacer y ya es mucho, se lo digo, ya es mucho lo que hacéis, gracias por escucharme. En el plan previsto para este domingo, finalmente, nada de un paseo por los alrededores de Romanza, sino ir a la piscina olímpica, cerca del campus universitario. Y, también allí, el extrañamiento. Los complejos deportivos, en Italia, no son cosa de broma. En Italia, por lo demás, no se juega con el deporte, te has fijado, ¿no? Siempre estamos uno o dos puestos por delante de ellos en el medallero de los Juegos

Olímpicos, pero no olvidemos que la mayoría de nuestros deportistas de alto nivel no son franco-franceses, quiero decir blancos. Mientras que en Italia, te habrás fijado que todos los deportistas son blancos, en todas las disciplinas. Mira su selección de fútbol: once jugadores, once italianos, once blancos de origen italiano. En Francia, once jugadores, cuatro blancos como mucho. No estoy siendo racista, me da igual que sean blancos o negros los deportistas franceses de alto nivel, incluso me parece más bien un toque de clase y prestigio para nuestra imagen de apertura, los deportistas de alto nivel negros. No, simplemente quería señalarlo, sin hipocresías, con pruebas, que los italianos blancos rinden más en el deporte que los deportistas franceses blancos. Italia no es un país de acogida, de cualquier forma, es de sobra sabido que los extranjeros no son demasiado bien vistos por los italianos. En la piscina, por ejemplo, solo hay blancos. La chusma, en la piscina, no son los inmigrantes como pasa en Francia, son italianos blancos, igual que en Inglaterra la chusma no son los indios o los jamaicanos, sino los jóvenes blancos de los barrios desfavorecidos. En Francia, el fenómeno se da en proporción inversa, no veo por qué es un tabú decirlo, así son las cosas. Y además, tengo la impresión de que los italianos no cultivan una mala conciencia con respecto a sus inmigrantes, asumen perfectamente su racismo primario y su rechazo a los inmigrantes, marcan su territorio, a menudo a base de una intimidación no demasiado sutil, por cierto. Sobre este tema, la mala conciencia no está tan anclada en su espíritu como entre nosotros. También en este caso, por favor, no veas nada sospechoso en mis palabras, observo, eso es todo, y digo lo que observo, señalo esas pequeñas diferencias lo más honestamente posible, no hago política, llamo al pan pan y al vino vino, eso es todo.

La piscina. Tenías a los socorristas sentados debajo de sus parasoles, ellos también con sus gafas, sus playeras, con unos colores de short y unos cortes de pelo increíbles, imposibles de encontrar en Francia, un poco como los de los guardaespaldas de los traficantes en *Corrupción en Miami*, no sé si te haces una idea. Relajación natural, fardones de nacimiento, el contacto natural con el público. No te has fijado, en Italia, la facilidad de contacto entre la gente. Los clientes y los camareros en el restaurante, el conductor del autobús y los pasajeros, los guardas y los automovilistas: la gente se dirige la palabra mucho más espontáneamente que nosotros, un poco como en los países del Tercer Mundo, con cortesía y respeto, sin desconfianza ni aprensión. Se hablan como se habla a los íntimos, sin remilgos. Mi padre, mi madrastra y mi hermano se fueron a nadar unos largos en la piscina, y yo, yo miraba de reojo igual que a los diez años la piscina de los trampolines. Cuando veo trampolines en alguna parte, tengo diez años. Por cierto, cuando me proponen ir a bañarme a un sitio que no conozco, siempre pregunto: «¿Hay rocas para tirarse?». Una buena piscina, con plataformas de dos, cinco, siete y diez metros, me encanta. En estos casos, me olvido de todas mis inhibiciones, voy derecho y, si hay gente alrededor, incluso me vuelvo de buena gana fanfarrón. Nadie saltaba, la piscina estaba totalmente disponible, toda azul y toda limpia, entonces subí directamente al de cinco metros e hice el salto del ángel carpado. Seguí en el de dos metros con un tirabuzón, luego un tirabuzón hacia atrás y después un doble tirabuzón hacia atrás.

Sentía que los grupos de chicos jóvenes tumbados sobre sus toallas empezaban a mirarme, los socorristas asentían con la cabeza, en dos palabras, yo estaba bastante orgulloso de presumir en el país de los presumidos —ves, en Francia me hubiese ganado comentarios por la espalda del tipo: «¿De qué va este? ¿Quién se ha creído que es?», pero en Italia no—. Y ahí me quito el sombrero, ante los italianos, ahí digo *respeto*, porque los tíos tienen un auténtico espíritu macho competitivo. Al cabo de un cuarto de hora montando mi numerito falsamente indiferente, tienes a un tío que se levantó. Se quitó sus gafas de sol, caminó hacia las plataformas como un gallo y subió directamente a la de siete metros. Siete metros son muchos metros, sabes. Visiblemente, el tío, no estaba familiarizado, se notaba en su forma de mirar hacia abajo, como si se negase a tener miedo. El tío, se puso al borde de la plataforma, de espaldas a la piscina, se volvió, calibró la altura aprovechando para dar un vistazo y asegurarse de paso que yo estaba mirando como todo el mundo, dudó vagamente dos segundos y luego saltó hacia atrás, el muy gilipollas. Siete metros, un salto de lo más seco, rígido, sin control de la recepción, la cosa tiene mérito porque, si fallas desde semejante altura, puedes partirte la columna fácilmente. Fue horrible, su salto, pero tuvo los cojones de hacerlo, el tío, solo para poner en su sitio a otro tío —yo— que, durante un cuarto de hora, había estado fardando en su lugar. Pues oye, a mí, este tipo de reacciones, me encantan. Algunos pueden pensar que es una completa gilipollez, yo encuentro que un gesto así tiene donaire, su lado toro porfiado.

¿Por qué te cuento todo esto? Solo para decirte que, finalmente, me sentía bien al borde de esa piscina. Teníamos un sol sin tacha, el tiempo se había detenido, yo me bronceaba solo en mi toalla en un semicoma mirando el cielo ilimitado, pensando en imágenes en blanco y negro del cine italiano de los años cincuenta. El efecto conjugado del agua, de la brisa suave, del sol, del chapoteo, de los reflejos turquesa de la piscina y de las interjecciones en italiano en el aire era para mí el mejor de los remedios. Bronceado, mojado, en traje de baño, mi pelo largo, mis tabletas de chocolate, mis pectorales un poco delgados pero presentables, ni una pizca de grasa, de nuevo consciente de ser un guaperas, recargaba por primera vez en mucho tiempo las pilas de mi ego, me olvidaba del mobalí, me hacía tanto bien. Recordé naturalmente mi conversación de la víspera con Alice, y, pensando que no tenía la menor idea de cómo terminaría este domingo absolutamente open, me dediqué por si acaso a hacer flexiones y abdominales. Mi padre, su mujer y mi hermano se reunieron conmigo después de nadar sus largos. Vestuarios, duchas. Cuando mi padre encendió su móvil, descubrió que habían dejado un mensaje por la noche sin que él se percatase. Toma, creo que es para ti, me dijo, siempre con ese mismo aire de no saber qué pensar de la situación. Me tendió el móvil: un mensaje de Alicia que me decía: «Si no estás muy lejos, tal vez podríamos vernos ahora». Esta perseverancia me seduce y me decide, le envío unas palabras previniéndole que, finalmente, me quedo en la ciudad el domingo.

Tras un breve intercambio de SMS, quedamos en llamarnos por la tarde. Vuelvo a casa en taxi con mi familia, preparamos el almuerzo, comemos tarde en la terraza. Luego, mientras ellos duermen la siesta, mato sosegadamente el tiempo, como antes de un examen importante pero que esperamos confiados: me lavo larga y metódicamente los dientes, me demoro en la cama mirando el techo, me pongo una camisa y un pantalón blancos, me observo repetidas veces en el espejo del cuarto de baño, ralentizo artificialmente mis gestos para no sudar porque olvidé mi desodorante en París, tengo que mear varias veces porque en el fondo no soy tan zen, me lavo las manos otras tantas veces, mastico un chicle. Entre tanto, mi familia se ha despertado, les anuncio sin ninguna mala conciencia que me preparo para una cita con Alice, que no tengo ni idea de a qué hora volveré, disculpadme, ya sé que soy un jeta, que solo vamos a pasar dos días juntos, pero esto es lo que hay, lo necesito —sin duda he aprendido a escucharme, con todos estos líos, sabes, he aprendido a ser egoísta cuando es preciso.

Las cinco, llamo. Cita en la plazoleta que está justo enfrente del restaurante de la víspera, a diez minutos de la casa de mi padre. Ni siquiera se me ocurre pedirle a Alice que se describa, hasta luego. Salgo de casa bajo las miradas silenciosas, un tercio críticas, un tercio compasivas y un tercio alentadoras de todo el mundo, bajo lentamente por el caminito de tierra bordeado de cipreses, la tarde es espléndida, el cielo está limpio y sereno, las sombras empiezan a alargarse, me gusta Italia, no pienso en nada, adelante con el instinto, me dejo ir, ligero, todo esta bien, yo estoy bien, me siento guapo con mi camisa y mi pantalón holgado, después de todo, me gusta mi vida, después de todo, tengo suerte, al menos vivo, al menos vibro, al menos pasan cosas en mi vida, de eso no puedo quejarme. Camino, cero aprensión, cero excitación excesiva: las emociones vividas en el curso de estos últimos meses me han llenado la cabeza de plomo, y también los pies —disculpa esta catastrófica metáfora tan estirada, por favor. Dos, tres curvas vía no sé qué, luego una corta avenida residencial en suave y recta pendiente, ahí está la plazoleta. A cuarenta metros, del otro lado del bulevar, de forma intermitente entre las trayectorias inversas de los coches, descubro en el acto la silueta de una chica que sujeta la correa de un perro beis nervioso y que me ve en el mismo instante que yo, es ella, soy yo, le sonrío, ella me sonríe. No se parece en nada al inevitable estereotipo de la italiana, que siempre la muestra forzosamente opulenta y sofisticada. Es más bien baja, delgada y menuda, sin pecho, lleva sandalias negras, un pantalón informe y gris de chándal, una camiseta negra de tirantes, dos, tres pulseras color plata en las muñecas, eso es todo. La correa en una mano, un cigarrillo en la otra. Tiene el pelo claro cortado muy corto en punta, más que sujetar al perro, lo retiene, sus gestos son rápidos, nerviosos, secos, precisos, se mantiene firme a pesar de su frágil apariencia, no puedo dejar de pensar que es una mujer que sabe lo que quiere. Su look a lo chico de punketa altermondialista me lleva a creer que entre chocolate, éxtasis, rave-parties, noches al raso, salas de espera de estaciones y planes de todo tipo, incluidos los sexuales, las ha visto de todos los colores, que no debe de ser fácilmente impresionable, que no va a ser pan comido, pero, después de todo, me da igual que sea pan comido o no, aquí estoy, allá voy, ya veremos. Me sorprendo yo mismo, por cierto, de haberle caído en gracia a una chica así, yo de quien Alexandrine siempre me ha dicho que no hay nada que hacer, que destilo burguesía por todos los poros de mi piel. Por lo tanto me sorprendo, pero pienso inmediatamente después, a propósito del look de Alice: «Es que no debe de ser *solo* así». Cruzo el bulevar, sigo acercándome, sus rasgos se precisan. La comparación va a parecerte extraña pero la expresión de su mirada me recuerda un poco la famosa foto de Marlon Brando sobre su moto, en *¡Salvaje!*, creo. Ya sabes, esos ojos cincelados penetrantes superexpresivos que te petrifican, y la mueca pelín burlona de los labios, el aire de alguien a la vez pasivo y al acecho, seguro de su poder de seducción. Estoy a un metro y medio, nos saludamos como si ya nos conociéramos y, durante una fracción de segundo, me viene a la mente la imagen subliminal de su sonrisa, de su piel y de sus ojos: vi este rostro una milésima de segundo antes de sentarme a mi mesa y no me detuve en él, el espíritu demasiado obnubilado por la preocupación y un único rostro, el de Alexandrine. Su sonrisa es resplandeciente, generosa, comunicativa, sus dientes perfectos —nunca había visto al natural unos dientes así, son como una cuña, sus dientes—, sus ojos son verdes, sus labios gruesos y rojos, una piel muy pura, una tez cuidada, cejas finas impecablemente depiladas: su cara es excepcionalmente hermosa, te lo juro, excepcionalmente hermosa, algo fuera de lo común, no exagero. Solo he visto rostros así en las revistas, parece una danesa, o una americana, parece una actriz de cine, es Jean Seberg pero mucho mejor perfilada. Tampoco intento comprender, pasa algo demasiado fuerte: esta chica no tiene una belleza o un encanto banales, es, lo repito, excepcionalmente hermosa. Eso solo pasa en el cine, ¿no?, que la desconocida que deja su número de teléfono en la mesa del hombre se revela tan hermosa en la primera cita. Pienso: «Todo esto es demasiado inexplicable, todo esto es demasiado novelesco para que no exista una razón».

Empezamos a charlar inmediatamente de forma muy natural y luego nos sentamos en un banco mientras su perro corre como un loco por toda la plazoleta. A pesar de nuestro imperfecto inglés, tanto el suyo como mío, la conversación es densa, sin silencios, fluida, directa. Bajo esa apariencia cuidadosamente descuidada, ella también es una burguesa. La *infrasignificación* —horrible neologismo, discúlpame—, la infrasignificación, pues, de las palabras de uno es inmediatamente captada al vuelo, recibida y descifrada sin falta por el otro, como si fuesen pequeños desafíos gratuitos que cualquiera puede aceptar. Se establece una corriente, ninguna incomodidad, nos olfateamos, nos reconocemos, somos de la misma familia. Es una *consciente*, ella también. Quiero decir con esto que, en su caso como en el mío, la naturalidad se rinde un poco ante el deseo de sugerir con finas pinceladas que mira las cosas con cierta distancia. Como todo el mundo, me dirás. Pero aquí hablamos de *LA* distancia justa, no sé si me explico, de la distancia de la gente *consciente*. En fin, eso según mi concepto de la distancia justa y de la consciencia, por supuesto. Pero, autosatisfacción excesiva aparte, creo que *es* la justa. Lo que te quiero decir es que, durante la conversación, siento que ella me escruta igual que yo la escruto, con la misma agudeza discreta pero densa. Siento que más allá de una recíproca atracción física, más allá de las escaramuzas superficiales de seducción, ella también intenta identificarme, siento que acecha en mí una falta de gusto pero con la esperanza creciente de que no se produzca. Que, al igual que yo, entre prudencia e incredulidad entretenida, tacha mentalmente una por una las casillas de todos los parámetros indispensables del tío especial y que se extraña tanto como yo con ella de tenerlo enfrente, en ese momento, en esa plazoleta, en ese banco. Es una tía rápida, viva, divertida, alerta, crítica, nada narcisa, que sabe olvidarse de que es bella, tiene buenas salidas sin pasarse tampoco, yo sigo tomando conciencia progresivamente de la belleza de sus rasgos. Es extraño, de la belleza que tienes ante ti, no te das realmente cuenta hasta después. En esos momentos, durante la conversación, solo sientes que pasa algo que hace que el aire sea más ligero, sientes que te sientes bien sin saber muy bien por qué.

No sabemos nada uno del otro, no volveremos a vernos, no tenemos nada que perder, así que tampoco ocultamos nada. Le hablo sosegadamente de Alexandrine, de mi extravío en Tanambo, de mi tentativa frustrada de abandonarla, del infierno mental de la culpa, de la vida que bascula, de Kodong, del mobalí, de mi infierno personal de marido cornudo e ignorado, de la amenaza de la depresión y de mi ego que aún sigue ahí, a pesar de todo. Le sonrío mucho. Y descubro que ella también sabe escuchar, que no está esperando cortésmente su turno para hablar. Me resisto sin embargo a embalarme: no tengo energía para eso y, después de todo, tampoco es tan raro encontrar gente con la que se puede charlar. Y luego, al cabo de un rato, como íbamos a terminar olvidando la razón de este encuentro dado lo bien que discurre la charla, cómo se desarrolla, cómo se enriquece, todo ello con demasiada cortesía, paso mi mano izquierda por detrás de su nuca, apoyo la derecha en su cadera, me inclino decididamente hacia ella y la beso, como si fuese la cosa más normal del mundo. Hace tanto tiempo que no he besado a una blanca, tantos años que ya no miro a las blancas, que he terminado por ni siquiera considerarlas sexualmente, tal es mi obsesión por Alexandrine, tanto la deseo, tanto ha conseguido ella, a fuerza de turbarme, que

YO ESTABA DETRÁS DE TI

solo la mire y la desee a ella, de tanto perder mi confianza y mis recursos ante ella, de tanto sufrir por no poseerla todo lo que quisiera, de tanto dejarme ella claro que lo hago mal, de tanto hacerme sentir que no cumplo en su cama y que no la satisfago, de tanto ponerme caras largas y hablarme mal en cuanto abordamos el tema, de tanto escaparse mientras yo me hundo, año tras año, en mi sufrimiento y en mi deseo. Entre mis labios, los de Alice son más finos de lo que parecen a simple vista, y, entre mis manos, su rostro y su cuello se revelan también más menudos. Retiro mis labios, se ha sonrojado, me sonríe, me mira fijamente a los ojos, en busca sin duda de mi parte de sinceridad tras esta primera salva. Me resulta de lo más extraño besar a una chica que tiene los ojos del mismo color que los míos y que es blanca, como yo. De cerca, su rostro es indiscutiblemente latino, lo puedo reconocer: ese contorno de ojos, esa línea noble de la nariz y de las mejillas, es el de las madonas latinas rubias de los pintores del Renacimiento, ya sé que es un cliché, pero es la verdad. Tengo la impresión de sostener un espejo. Esta sensación repentina de proximidad casi incestuosa, esta especie de regreso a mí mismo, digámoslo así, pues bien, me doy cuenta de que me sosiega considerablemente, que me tranquiliza igual que un recuerdo de la infancia. Estoy perfectamente bajo control porque Alice, ella, no me da miedo. Sus diez años menos algo tienen que ver, pero no es eso solamente: es *blanca*, te repito. Es más baja, más joven, más frágil, más sonriente que Alexandrine. Ante ella, ya no soy un blanquito de talla y peso apenas adecuados y músculos demasiado secos. Ante ella, soy alto, musculoso y, sobre todo, después de pasar tantos años intentando estar a la altura de una chica negra intransigente y casi de la misma talla y peso que yo, no le temo a nadie, a ninguna mujer, soy un 4 x 4, un todoterreno. Con Alice, entro de lleno en la normalidad de las relaciones hombre-mujer, donde se trata de pensar primero en gozar uno del otro disfrutando tú al mismo tiempo. En este juego pacífico de seducción recíproca, me reconozco, *me recoloco en mi sitio*, en el buen sentido del término. Y todo esto me sosiega hasta un punto que no puedes imaginar. Y sin embargo, sabes, no era fácil. Una cosa tan banal como besar a una desconocida, para mí, es algo excepcional. Desde los quince años, las chicas que he besado pueden contarse con los dedos de una sola mano. No te lo puedes creer, ¿eh? Te juro que es la verdad: ¡con los dedos de una mano! Y sin embargo, te lo repito, no será por falta de ocasiones. Soy un donjuán contrariado, soy un fiel, un idealista, soy un romántico, te lo aseguro. Y sin embargo, el sexo me obsesiona tanto que podría ser un actor porno, hasta tal punto las mujeres me resultan deseables, hasta tal punto mi deseo y mi vitalidad se desbordan, hasta tal punto soy insaciable. Pero no tengo más remedio que hacerme a la idea de que soy hombre de una sola mujer. O, más bien, para ser preciso, de varias veces una sola mujer, mi breve historia así lo demuestra —ya llevo más de quince años ininterrumpidos de vida en pareja a mis treinta y tantos años, y con dos mujeres solamente: no está mal, ¿verdad? No consigo ser ligero, no hay nada que hacer. La mayoría de los tíos de mi edad ya están aburridos de este tipo de cosas. Han conocido a un montón de chicas, un montón de bocas, de lenguas, de culos, de pares de tetas, todos han frecuentado un montón de cuerpos y eso ya no les hace vibrar tanto como a mí. Yo, aún sigo fascinado. Para mí, una desconocida, una chica en general, es una fiesta, una aventura, y su cuerpo ofrecido, el más inesperado y precioso de los tesoros. Tal vez es una ingenuidad, pero me da igual. Incluso reivindico esa ingenuidad, estoy muy orgulloso de ella, estoy feliz de haberla conservado intacta a mi edad porque me ha reservado escasos pero intensos momentos de felicidad.

Así que la beso. Cohetes en mi cabeza pero, en la práctica, nada de pánico. Me doy cuenta de que, respecto a cambiar de mujer, nací para eso, yo también. No hay por qué negarlo, nací para eso, exactamente igual que los gordos hastiados de mi edad que han coleccionado culos. Puede que incluso, en cierta medida, tenga sobre ellos justamente la ventaja de mi ingenuidad, de ese entusiasmo y de esta emoción intactas. Estoy dispuesto a dar mucho tras la escasa sensación que he tenido, en tantos años de vida en pareja, de que lo que daba era recibido como tal por las mujeres con las que vivía, tanto así tengo para dar. Incluso voy más lejos: más allá de mi sensualidad natural —no es que esté presumiendo, ya lo sabes, la sensualidad, la atención dedicada al cuerpo del otro, la voluntad *de* y de dar*me* placer en el acto físico, el erotismo me encanta, es algo que siento, es algo que tengo en mí, es como el deporte—. Siempre he sentido que podía ser un buen polvo. Pero, después de creer durante mucho tiempo que no había caído sobre las dos personas adecuadas, terminé convencido, por culpa de las miradas demasiado severas de Alexandrine que me hacía pagar muy caro nuestros bloqueos recíprocos de uno respecto al otro, de que era yo el que tenía un problema, y eso me consumía a fuego lento. Cuando todo el mundo sabe de sobra, coño, que, en los asuntos de cama, cada uno es responsable de sí mismo, ¿no? Ves, acabo de darte la principal razón del asunto de la cantante. En dos palabras, tenía la necesidad vital de que alguien me confirmara que, como cualquier otro tío, tenía la posibilidad de hacer vibrar a una mujer, de darle al menos ganas de tocarme y de besarme. Porque a Alex, sabes qué, no le gustaba besarme, se negaba a que yo la besara, con lo que a mí me gusta besar. Bueno, claro, lo que acabo de contarte es muy parcial, es *mi* punto de vista. Seguro que Alexandrine te daría una versión de las cosas mucho menos favorable para mí. Aunque mi propia versión tampoco es forzosamente favorable. Porque, después de todo, no es fácil asumir el papel del tío que no era capaz de hacer gozar a su mujer. Porque en estos casos los culpables siempre son los tíos, ¿no?

¿Qué te estaba diciendo? Me estaba justificando por algo, ¿qué era? Ah, sí: mi sensualidad. Más allá de mi sensualidad, creo que la vida en pareja, mis deseos reprimidos, todos los fantasmas que he podido alimentar en el curso de mi vida de monje en pareja, me dieron una experiencia instintiva del cuerpo del otro, de tanto soñar con esos momentos, de tanto prepararme inconscientemente para el adulterio. Es paradójico, ya lo sé, pero creo que, en mi caso, es por eso. Lo cierto es que, mientras beso a Alice, me doy cuenta de que, incluso sin tener práctica, estaba perfectamente preparado. Confío en mi instinto, mis manos pasan con naturalidad del cuello al pelo, a los senos y a las caderas de Alice, ella se abandona con un placer evidente, imagino que debe pensar que estoy curtido en este tipo de situaciones, que soy un coleccionista de culos, yo también. Pero me gustaría decirle que se equivoca, que no soy el follador hastiado que piensa, que ella es apenas la quinta mujer que acaricio así a mis treinta y tantos años. Ella, a pesar de su edad, ha conocido a muchos más chicos que yo mujeres, eso también es evidente. Mis caricias y mis besos le gustan, lo percibo en su respiración que se acelera, en sus brazos que se crispan y en sus ojos agradecidos. Pero también siento, paralelamente, la imperceptible reticencia de la chica orgullosa, moderna, que piensa que ella es la ciento cincuenta de la lista y que se niega a perder su autocontrol por un tío de paso. Sin embargo la cosa está que arde, nos besamos, nos excitamos, estamos solos en el mundo en ese banco de una plazoleta. Esta inmersión repentina en la intimidad del otro no impide que la conversación se reanude, tan densa y rica como antes de mi beso. Nos levantamos sin abrazarnos, como dos adultos que están de vuelta desde hace mucho tiempo de sus primeras turbaciones, pero de algún modo, en lo más hondo de mi ser, siento una sensación extraña, tengo la impresión de estar de nuevo en el instituto: *¡acabo de besar a una chica!* Pero la edad hace bien las cosas. A falta de experiencia ahora tengo más aplomo, afortunadamente. Pero eso no me impide recordar mis trece años y de que esto aún me resulte igual de extraordinario y contra natura, besar a alguien de quien nada sabes. Intentamos calmar al perro, cuyos asaltos regulares sufro con una sonrisa estoica para no parecer una aguafiestas. Al tropezar en nuestro camino con un balón que unos críos nos reclaman desde el otro lado de una verja, fardo demostrándole a Alice que sé chutar con agilidad y destreza. Pero no me avergüenza tampoco pedirle que líe por mí el cigarrillo que me ofrece, porque no sé hacerlo como es debido. Hay corriente, te digo.

Por encima de todo, tal vez, tal vez incluso más allá del agradecimiento que le debo por haberme caído del cielo en un momento tan delicado de mi vida, creo que me gusta que sea italiana, aunque esté a mil leguas de los clichés tipo Monica Bellucci o Versace. Amo a Italia en ella, o más bien amo en ella mi idea de Italia. Esa luz de final de verano, salvadora, casi onírica, esa luz de mi sosiego, de mi renovación, de mi *renacimiento*, disculpa este juego de palabras tan malo, esa luz de la libertad, esa solitaria pausa de dulzura, ese tiempo suspendido, esos colores recuperados, esa tibieza perfecta del aire, ese desarrollo encantador de los acontecimientos, a partir de ahora, serán ella, lo quiera ella o no. También me gusta que hablemos en inglés o, según, en español para entendernos. Me gusta la idea de que no tener una lengua materna en común no impide decirse cosas esenciales mirándose fijamente a los ojos y besarse. Me gusta este encuentro europeo. Pienso en la película de Klapisch, *Una casa de locos*, que me hizo soñar como a todo el mundo, y me digo que, incluso a mis treinta y tantos años, no es demasiado tarde para tener mi parte de este pastel de juventud y de vida, yo también.

Al final de la tarde la acompaño a su casa. Durante todo el trayecto a pie a través de Romanza intento grabar con calma la mayor cantidad de detalles posible, sabiendo de antemano que, más tarde, cuando todo aquello quede reducido a un poderoso recuerdo de mis sentidos, a pura nostalgia, me reprocharé el no haber saboreado más conscientemente el momento. Pero es imposible saborearla conscientemente, la felicidad. Bajo su aspecto banal, con sus parásitos y sus imperfecciones, sin el filtro embellecedor del recuerdo, la realidad siempre te gana por la mano. Mientras ocurre, es matemático, lo único que puedes sentir vagamente es que está sucediendo algo bueno, pero estás demasiado ocupado viviendo ese tiempo para saborearlo realmente. Te habrás fijado que la felicidad es siempre un recuerdo, nunca el momento presente, ¿verdad? Recuerdo haber leído en no sé qué libro: «La felicidad es una luz hermosa y no tener forzosamente conciencia de que todo va bien». Es eso, el tiempo perdido, el tiempo a secas, la imposible ecuación del tiempo que pasa y que quisiéramos retener. Estoy convencido de que debe de ser por eso también que el ser humano busca vivir en pareja: para hacer durar al máximo los momentos de felicidad sin tener que buscarlos constantemente en el pasado, para intentar fijar un poco las cosas con la mujer que un día nos hizo soñar, a pesar del desengaño del tiempo. Porque la felicidad, es una mujer, ¿no? ¿No estás de acuerdo? «Feliz como con una mujer», dice Rimbaud. Por cierto, se llama «Sensación», su poema. Esto demuestra la parte de autopersuasión que se necesita para identificar la felicidad con una mujer. Porque en realidad, una mujer, no es la felicidad, es simplemente la sugestión de una felicidad absoluta posible. Es un vector de la felicidad, un intermediario que, encarnando la felicidad al principio, engendra un deseo suplementario tan pronto como es conquistada. Espera, voy a ser más claro: la felicidad, para mí, si hubiese que intentar identificarla, captarla al natural, es la emoción absoluta que siento cuando escucho ciertas canciones o el cielo tiene un color que me gusta especialmente. Siempre que siento la necesidad de compartir esos momentos para mejor materializarlos, lo que me viene a la cabeza es la imagen de una mujer ideal. Siempre me digo que una desconocida en algún lugar, susceptible de sentir o de comprender esa misma sensación que yo en el mismo momento, encarna la felicidad. Pero creo que la felicidad es como esa mujer, como esa sensación: es inmaterial, no existe. La felicidad, el futuro, es una perfecta y perpetua desconocida en todos los sentidos del término. De cualquier forma estás solo en el mundo, y solo con tus sueños. Pero si tienes la suerte de conocer a una mujer, incluso si ella no tiene nada que ver contigo, que te ha hecho soñar y pensar en la felicidad durante algún tiempo, eso ya es mucho.

Mientras caminamos por la acera me doy cuenta, justamente, que estoy abrazando como un novio a una chica de la que no sé nada. Cobro conciencia brutalmente de que vivo en pareja con mi mujer desde hace más de diez años, que estamos casados, con dos hijos, que he asumido hacia ella compromisos morales y materiales, que me gano mi vida y la de mi familia desde otros tantos años, que tengo, a mis treinta años largos, una vida de hombre responsable y que toda la gente con la que nos cruzamos abrazados por esta acera, Alice con su pinta de adolescente y yo con mis *veintisiete años como mucho*, seguramente deben tomarnos por una pareja de estudiantes, juvenil, legítima e inocente, que tiene toda la vida por delante para descubrir que el amor y la vida de pareja, pues bien, no es tan simple, ni tan bonita. Siento espontáneamente la necesidad orgullosa de desmentir, de decirles a todos que no saben del tema más que yo y que no soy tan joven como parezco, que ya la conozco un poco, la vida. Me cuesta horrores disfrutar libremente de estos instantes de ligereza. En mi espíritu se agolpan sin cesar mis obligaciones y mis escrúpulos, imposible soltar lastre. A falta de inocencia, imposible saber si siento más felicidad o malestar. Si es felicidad, es clandestina, culpable, por lo tanto, incompleta. Si es malestar, no tiene la suficiente incidencia negativa sobre mi determinación como para hacerme soltar las caderas de Alice y decirle: «Discúlpame, estoy haciendo una gilipollez, gracias por todo y que seas feliz en la vida, me largo». Me digo que debo dejar de darle vueltas a la cabeza, que hay, en ese mismo instante sobre la faz de la tierra, millones de otros padres de familia engañando a su mujer, que eso forma parte del orden de las cosas. Me digo: «Deja de darle vueltas a la cabeza, basta de culpa, no has nacido para ser culpable, vive un poco por una vez, escúchate a ti mismo, tienes derecho a pensar en ti, hemos nacido para esto, para pensar primero en uno mismo, ¿no? Olvídate de Alexandrine, olvídate de los niños, olvídate de las citas profesionales en París, del regreso a Tanambo dentro de una semana, olvídate del curro, del porvenir material que debes garantizar y de los problemas, olvídate de ser razonable por una vez, la vida es corta, la vida también está hecha para esto: los imprevistos, las infracciones al reglamento. No conoces a la chica que acabas de besar durante una hora en esa plazoleta, ¿y qué? Será tuya y tú serás suyo durante un paréntesis de veinticuatro horas en tu existencia, la vida también está hecha de este tipo de opciones aberrantes, después de todo no somos más que seres sensibles de carne, no conviene olvidarlo, no hay moral que incluir ahí dentro, interpretaréis el uno y el otro vuestro papel amoroso transidos y exclusivos durante veinticuatro horas y luego ciao, olvídate de ti mismo un rato, suéltate un poco, las cosas son sencillas, permítete esto, tú también tienes ese derecho, ¡coño!».

Ella vive vía Santo S., número doce, creo. Hay una pesada puerta cochera. Puesto que ahora todo es posible, he pensado entrar hasta el soportal con ella y, al resguardo de las miradas, una vez cerrada la puerta, besarla mucho más explícitamente, cosa de dejar muy claras mis intenciones. Empujamos la puerta, está oscuro, la apoyo contra la pared, me pego a ella, no tocamos el interruptor, la beso en la penumbra, la acaricio como la decencia me impedía hacerlo en el banco de la plazoleta. La presencia de su perro que ladra y me golpea frenéticamente el muslo con su hocico no le impide a Alice jadear y gemir. Tengo extrañas reminiscencias sensoriales, la situación me parece familiar, me dejo guiar por mis propios gestos, mis manos y mis labios imponen su ritmo versátil, saben perfectamente lo que deben hacer en este cuerpo menudo que descubren al mismo tiempo que yo. Tengo la sensación de haber hecho esto toda mi vida, besar y acariciar a desconocidas en un soportal. Pero Alice me interrumpe rápidamente: tiene el último examen oral de sociología general al día siguiente por la mañana, a las diez, debe repasar imperativamente. Me cuenta eso a mí, que hace casi quince años que tuve mi último oral en la universidad. No tenemos las mismas preocupaciones, ella y yo. Creo que nuestros diez años de diferencia, a estas alturas, es una falta de seriedad por mi parte, que no hace tanto tiempo que ella es mayor de edad. Durante una fracción de segundo pienso: «Viejo asqueroso, aprovechado, esa es la mejor solución, tiene miedo, tú tienes miedo, es una cría». En cuanto a ella, no parece nada impresionada. Debe de saber lo que son los tipos mayores que ella. Y de inmediato, para tranquilizarme, pienso: «Pero a su edad, caray, ya es una mujer. Todas las heroínas de las películas y de los libros tienen entre veinte y veinticinco años. Y además, las chicas son más maduras que los tíos, es bien sabido. Ya vale de agobiarte así, ya vale, esta situación no es nada chocante, está dentro del orden de las cosas, te repito». Mientras impide que mi mano se aventure más allá del lindero de su vello púbico con una sonrisa educada pero firme, me dice que la he excitado, que le gustaría volver a verme esta noche, que me llamará cuando haya repasado lo suficiente. No estoy especialmente decepcionado por esta dulce reconvención. Casi con indiferencia le respondo: «No hay problema, haremos lo que quieras, como quieras». Estoy como ausente, pero relajado. Me tomo el tiempo de examinar el soportal antiguo, sobrio y noble, las bóvedas, la escalera, las Vespas de los inquilinos aparcadas en el pasillo. Pienso que en Italia, un cuarto de estudiante tiene más porte que en Francia. Luego me despido de Alice como de una buena amiga, *ciao, ciao*, hasta la noche, que repases mucho. Desaparece por el pasillo girándose una última vez, abro la puerta y me encuentro de nuevo en la calle, con el aire sonoro, las aceras, los peatones y las tiendas a la hora del cierre. Me siento en parte liberado, en parte culpable, tengo los labios entumecidos, el sabor de la saliva de una extraña en la boca, y me pregunto bruscamente qué carajo hago yo allí.

Tardo media hora larga en encontrar un taxi al que de inmediato le pido que busque una farmacia de guardia. Aparca en doble fila, advertencias. Salto del taxi y corro como un ladrón para comprar una caja de preservativos, muy excitado ante la perspectiva, de lo más realista, de utilizarlos esa noche. La última vez que compré una caja de preservativos fue justo antes de mi primera noche con Alexandrine. «No, no estás haciendo el ridículo, esta noche tienes veinte años», me digo. De vuelta en casa de mi padre, no se atreven demasiado a ponerme mala cara por mi ausencia abusiva. No tengo tiempo de ducharme otra vez ni de cambiarme de ropa, es domingo por la noche, aquí todo el mundo trabaja mañana, se hace tarde, hay que ir a cenar. Nos dirigimos a pie a una trattoria del centro de la ciudad que no voy a describirte para no darte la lata otra vez con mis comparaciones demasiado despreciativas. Pero es un lugar realmente estupendo: una vez más, se trata de una antigua capilla, techos altos, ladrillos rojos a la vista, lámparas metálicas industriales, horno de pan en medio de la estancia, muy limpio, incluso un poco clínico, pero cálido a pesar de todo, fauna bobo*, *beautiful people*, te haces una idea, ¿no? En Francia diríamos «a la última moda», pero en Francia esa gente reniega de la elegancia demasiado evidente. Entre nosotros, la elegancia es parecer elegante lo más involuntariamente posible. En Italia no. En Italia asumen la elegancia que se ve, no les resulta hortera la elegancia. Y a mí me encanta esa forma de ver las cosas con sencillez. Y luego, claro, la *pizza* que llega en apenas diez minutos, grande, sabrosa, auténtica, como tiene que ser. Italiana, vaya. Mejor que en Francia, donde por cierto seguimos pronunciando *pidza*, cuando hay que decir *pitssa*. Una *pizza* servida en Italia por italianos, es tanto más agradable e intimidante cuanto que los tíos que te la sirven lo hacen con la mayor naturalidad del mundo, sin dudar ni por un segundo que tú, que tú estás fascinado. Lo que pude observar también en esa trattoria es que, en Italia, la gente se mira

---

* El término bobo se forma a partir de las dos primeras letras de las palabras *bohème* y *bourgeois*. *(N. del T.)*

mucho más abiertamente que en Francia. Si estás media-namente presentable, si tienes un poco de cuidado con tu apariencia, te miran, y es bastante gratificante. Es agradable ese *fair-play* de la gente que no finge orgullosamente no haber reparado en ti, que no te pone forzosamente mala cara. Ellos te miran y lo asumen. De modo que siento las miradas de las mujeres, la sonrisa alegre de las camareras, las parejas que murmuran y me señalan con la mirada, estoy a gusto, confiado. Entre tanto, Alice me ha citado por SMS en el portal de su casa a las 21.30. Mi euforia es tranquila, pienso que, esta vez, ya está, yo, que durante todos esos años de vida en pareja estaba convencido de que solo existiría Alexandrine hasta el fin de mis días, pues bien, voy a engañar a mi mujer por primera vez. Frente al espejo del baño, recuerdo la noche de mi desfloración, con quince años, cuando justo antes de meterme en la cama de una chica que se llamaba Apolline me miré en el espejo de su cuarto de baño pensando: «Esta noche, por fin vas a ver realizado tu sueño». Pienso que era una gran ingenuidad por mi parte imaginar que no tocaría a ninguna otra mujer, pienso que la vida y el tiempo se encargan muy bien de reorientarte hacia esquemas inevitables, que no hay que hacerse ilusiones.

21.20, mi familia está tomando el postre y yo los abandono con la impaciencia de un adolescente, me encamino hacia vía Santo S., a dos pasos de allí. Alice está en la acera, esperándome. Te ahorraré unos cuantos detalles del estilo que fuimos a la estación para buscar a su compañera de piso y entregarle las llaves del apartamento, la coca-cola que·nos tomamos, las calles animadas, la suavidad de la noche, la conversación siempre fluida durante la que aprendi-

mos algo más uno del otro, algunas confidencias, la confirmación de que Alice no encaja en la categoría precisa de
chica que su look hacía presagiar, que es más compleja y
más ecléctica. Te ahorro también el momento en que me
dijo que, después de todo, tal vez no era demasiado buena
idea que yo subiera a su casa, que tiene escrúpulos, que tal
vez no deberíamos ir más lejos para no estropear este hermoso encuentro, espero que no te lo tomes demasiado mal.
Te ahorro mi respuesta, sin duda decepcionada, pero dulce
y sincera: «Haremos lo que digas, Alice, tú decides. De ningún modo voy a forzarte a hacer algo que no sientas. Incluso puedo marcharme ahora mismo si lo prefieres. Y además, no es obligatorio hacer el amor, sabes, podemos muy
bien besarnos, acariciarnos mientras seguimos charlando
tan bien como hasta ahora, me haces tanto bien». Te ahorro
su sorpresa cuando le digo esto, su sonrisa agradecida, y
luego, finalmente, el instante en que cambia de opinión y el
SMS que le envía a su compañera de piso («Esta noche me
pido el cuarto con la cama grande»). En resumen, una vez
pagadas las coca-colas, nos levantamos, caminamos hacia
su casa muy despacio, te ahorro también la fachada ilumi-
nada, sin adornos y blanca, de la iglesia Santo S., de la que
me dice que es su preferida entre todas las de la ciudad por
su sobriedad, el tropel de turistas en jersey por las aceras, el
soportal de su edificio de nuevo, la escalera que, ahora sí,
subo hasta el final con ella hasta el tercer o cuarto piso, ya
no sé, la puerta del dúplex, la compañera a la que desper-
tamos pero de la que solo oigo la voz a través de la puerta
de una habitación contigua, el perro de nuevo entre mis
piernas, un inmenso mapamundi clavado con chinchetas
en la pared del salón, exactamente igual al que tengo en mi

oficina de Tanambo, descendemos directamente al cuarto de Alice por una escalera de madera, en ese momento debe de ser poco más de medianoche.

Me gustó mucho la sencillez con la que sucedieron las cosas. Ella va a darse una ducha y yo simplemente me quito mis zapatos y mis calcetines y me echo en su cama, observando este cuarto de estudiante italiana, la lamparilla de cabecera, el ventilador, el perro que se duerme, ropa desperdigada por todas partes, colillas aplastadas en un cenicero, páginas manuscritas de las clases de sociología sobre la mesilla de noche en las que descubro el nombre de Durkheim, los libros en italiano y en español en las estanterías. Me sorprende encontrar una traducción de *99 francos*, de Beigbeder, libros de poesía, Neruda, Prévert. Me gusta que lea, que se interese por todas esas cosas. La ventana está abierta. Fuera, a pesar de que enfrente hay una fachada ciega, la noche es tibia, suave, ligera. Alice sale del cuarto de baño. Sus cabellos están mojados, su albornoz abierto y solo lleva una braguita rosa pálido. Un destello de suspicacia cruza sus ojos que ya no pueden decir que no. Gravemente deja resbalar su albornoz por sus hombros y sus brazos, y entonces, una visión magnífica. Todo ese lado suyo un poco masculino que podían evocar su forma de andar, su corte de pelo o sus gestos nerviosos se desvanece de golpe. Me descubre una silueta delgada, hombros de feminidad frágil y determinada, una piel espléndida, una depilación perfecta. En ese instante me acuerdo de las turistas italianas en la playa, en Tanambo. Desde que vivo allí, he observado que cuidan muy especialmente su cuerpo, que buscan un poco la asepsia, igual que las anglosajonas, pero sin perder nada de su objetividad latina, no sé si me explico. A mi vez, voy a ducharme, disfrutando de cada uno de mis gestos como una lenta preparación para la felicidad. Vuelvo en calzoncillos, el cuarto está sumido en la penumbra, el perro duerme, y entonces, con toda naturalidad, sin una palabra, me reúno con ella, nos echamos y nos abrazamos.

Por respeto hacia Alice, y también un poco por pudor, no te contaré nada salaz sobre esa noche. Solo dos o tres detallitos de nada que permanecieron en mi memoria muchas semanas después de volver a Tanambo: su tatuaje en el hombro izquierdo —eso no tiene nada de original, ya lo sé—, pero a mí me llevaba a pensar que estaba saliendo con una chica que era muy de su generación, más joven que yo, más roquera que yo. Los dos cigarrillos que dejó sobre su mesita de noche antes de nuestro primer abrazo: era premeditado, sin duda yo no era el primero con quien tenía ese detalle, pero, no sé, me encantó. Sus gemidos en italiano durante el acto: decía *¡Sí! ¡Sí! ¡Sí!* y no *¡Oui! ¡Oui! ¡Oui!* Yo descubría el amor internacional en versión original, era algo nuevo para mí, me parecía un toque de clase, desfasado, excitante. Fíjate que en ese momento ni siquiera caí en la cuenta de que el paralelismo con la historia de Alexandrine era turbador: por un lado su amante negro, como ella, por el otro mi amante blanca, como yo, nuestra necesidad más o menos consciente tanto en ella como en mí de reencontrarnos con nuestra propia identidad, un terreno neutral —Kodong, Romanza—, y todo ello en inglés. ¡Gracias, inglés! Bueno, por supuesto que el factor sexual contó mucho. Y sin embargo, te lo repito, no era nada fácil para mí. Y justamente porque, una vez más, no tenía nada que perder, porque nunca jamás volvería a ver a Alice en toda mi vida, pude superar mi aprensión. Por el color de su piel, por su edad, por su cuerpo más menudo que el mío, pero sobre todo por su dulzura, por su naturalidad, por su generosidad que no tenía ninguna cuenta pendiente conmigo, puedo decirte que Alice me salvó esa noche. Porque ella estaba lejos de imaginar en qué situación retorcida yo había dejado que mi propio cuerpo y mi propio espíritu se encerrasen durante todos esos años, porque ella no tenía nada que ver con todo aquello, porque no tenía ningún prejuicio sobre mí, ningún sentimiento de odio ni ningún deseo más o menos consciente de humillarme, ella me devolvió; sin saberlo, la confianza en mí mismo. Con ella, me sentí un hombre de nuevo, un hombre con una polla, con unas manos y con una boca susceptibles de gustarle a una mujer y de satisfacerla, un hombre provisto, como todos los hombres pendientes de su propio equilibrio, de un cuerpo que le sirve para expresar sencilla y libremente su propio deseo y su propio placer, su deseo poderoso y simple, un hombre hecho para *explayarse*, sencillamente, naturalmente, sin atormentarse por ello, estando por fin liberado de todo sentimiento de terror o de culpa.

En lo que nos concierne directamente a Alice y a mí, el único detalle realmente significativo que te contaré es que ninguno de los dos durmió. No solo porque hicimos el amor varias veces, sino sobre todo porque, durante toda la noche, nos miramos en silencio. Cada cierto tiempo, yo le susurraba que se durmiera para llegar en forma a su examen, ella me respondía: «O.K., pero entonces, tú también te duermes». Yo le respondía O.K., cada uno se ponía en posición, cerrábamos los ojos y, al cabo de dos minutos, nos dábamos la vuelta y comprobábamos sorprendidos que el otro nos miraba. No era un juego. Fue entonces, creo, por el contrario, que todo se volvió serio entre nosotros —discúlpame la paradoja involuntaria—. Fue entonces cuando todo empezó a tejerse lentamente, en esa especie de desafío de respuesta infalible de uno a la llamada del otro que nos lanzábamos más o menos conscientemente. Y sin embargo habíamos partido de un acuerdo *a priori* muy claro: yo casado, dos hijos, en plena crisis de pareja pero deseoso de reconquistar a mi mujer, ella provisionalmente soltera, alucina conmigo en el restaurante, yo alucino con ella en la plazoleta, pasamos una estupenda noche juntos y luego, por la mañana, ciao, nada de mail, nada de teléfono, nada de direcciones, cada uno retoma su vida, tú tus exámenes en Romanza y tu chico en Monte, y yo mi avión para París, Alexandrine, los niños y Tanambo, diez mil kilómetros nos separan, gracias por todo, cerramos el paréntesis, todo esto será un bonito recuerdo en el jardín secreto de cada uno, una pequeña ilusión pasajera de ligereza en una vida con envites demasiado graves y demasiado complicados como para dar marcha atrás. Así deberían haber sucedido las cosas, en condiciones normales. Y tal vez así habrían sucedido de no ser por ese algo que hace que las cosas cuajen, si no nos hubiésemos parecido tanto, si no hubiésemos tenido ese nivel común de *consciencia* del que te hablaba hace un rato. Ya sabes, es un poco como esos francmasones que se reconocen por códigos particulares, por la forma de saludar, por determinadas palabras, cosas así. Te recuerdo que empezamos, a priori, guardando cada uno su reserva, no pasando de tener una concepción corriente uno del otro. Y, por la naturaleza de nuestras conversaciones, por esas miradas sobre todo que intercambiamos en su cama, tanto uno como otro empezó a identificar un nivel similar de exigencia amorosa. Esas miradas, de hecho, terminaban significando: «Al primero que se le escape la mirada del otro ha perdido. El primero que se duerma ha perdido», pero en el sentido: «El primero que se duerma finalmente no le merecía la pena al otro». Eso es, en esencia, lo que pasó entre nosotros esa noche.

Como no habíamos dormido, no hizo falta que nos despertásemos. Debían de ser las cinco más o menos, fuera el día aún no se había levantado pero ya se podía oler la mañana. Alice abandonó la cama, fue a preparar café, volvió con dos tazones ardiendo, me tendió uno y, disculpándose amablemente, cogió sus apuntes de sociología de la mesilla de noche y se dedicó a repasar. Yo había valorado mucho también en ella que un examen importante no le impidiese la aventura y una noche en blanco. Me gustaba esa espontaneidad desprovista de cálculo, ese romanticismo. Debió de estudiar un cuarto de hora como mucho y luego, con toda naturalidad, terminó olvidándose de sus apuntes y de nuevo hicimos el amor. El tiempo pasaba, nos acariciábamos como amantes de larga data, o como una verdadera pareja de enamorados, con mucha ternura. Intercambiábamos dulzuras íntimas en varios idiomas pero se había hecho de día, debíamos ponernos en marcha. Instintivamente le dediqué a Alice unas atenciones desproporcionadas para el carácter pasajero de nuestro encuentro: en la bañera de su cuarto de baño, la enjaboné, le lavé la cabeza, la duché. Luego la vestí prenda a prenda, le propuse acompañarla a la universidad, y, como ella me propuso que condujese su Vespa y no tuve más remedio que confesarle que no sabía conducir una Vespa, insistí en pagar el taxi que nos llevó, luego insistí en pagar el desayuno que tomamos juntos en un café próximo a su facultad —¿has probado los *budini al riso?* Te los recomiendo, están de morirse—, un café de estudiantes muy simpático donde sonaba de fondo una canción de salsa cuya letra Alice sabía de memoria. Luego la acompañé y durante media hora larga estuvimos buscando el edificio donde estaba el aula de su examen, lejísimos, cruzando un puente, y, cuando por fin llegamos, después de los últimos besos en la acera, en el momento de decirnos adiós para siempre, siempre bajo ese sol matinal de final de verano que me llevaba a pensar en la felicidad, no sé qué me pasó, la llamé en inglés *Mi amor*, la llamé *My love*, diciéndole: «Estoy a esto de enamorarme de ti, sabes», poniendo así los dedos. Tal vez soy ingenuo, tal vez soy demasiado emotivo, o, simplemente, no tengo bastante experiencia para hablar del tema, pero me cuesta imaginar que se pueda hacer el amor con alguien, incluso con alguien desconocido, incluso una sola noche, sin que se cree un vínculo fuerte. Dos cuerpos que se han penetrado, dos pieles que se han rozado, dos salivas que se han intercambiado, se deben algo, no es posible liberarse así como así, incluso si entre la mayoría de la gente, de hecho, ya sé que eso no te compromete a nada. No logro entender que se pueda ser indiferente con alguien con quien te has acostado. ¿Tú sí? En cualquier caso, así es como yo he vivido las cosas con cada una de las escasas mujeres con las que he hecho el amor. Y, cada vez, me he comprometido para siempre.

La llamo *Mi amor,* ella me mira, la beso una última vez, la estrecho una última vez entre mis brazos y le digo mirándola a los ojos *Anda, es la hora, vas a llegar tarde, no faltes a tu examen, no quisiera que faltases por mi culpa, anda, no estemos tristes, todo ha sido estupendo entre nosotros, es un bonito encuentro, conservemos este hermoso recuerdo, no estemos tristes, no debemos, sabes de sobra que es imposible, ¿verdad que sabes tan bien como yo que lo nuestro es imposible?* Ella me responde *Sí, lo sé, no hay que entristecerse, no hay que estropear este hermoso momento, tienes razón, me voy, adiós,* pero no se mueve, sigue mirándome fijamente con ojos que me dicen educadamente que, por supuesto, respetan mi punto de vista, que, por supuesto, solo pueden resignarse ante la evidencia, pero que están dispuestos a desafiar esa evidencia. Ojos para los que nada sería imposible si yo reconociera, yo también, que no hay nada imposible cuando se desea realmente. Entonces, frente a esos ojos, bajo los míos. Por cobardía o por valentía, no lo sé. No sé si me escaqueo o si aprieto los dientes. En toda caso, no veo más solución que irme y, de hecho, no hay otra. Dejo a Alice delante de la entrada del edificio de su examen y me voy sin darme la vuelta. Doblo una esquina, llego a un gran bulevar periférico y camino recto por la acera, ya está, estoy fuera de su alcance, cada uno de mis pasos me aleja de ella más y más, se acabó, no volveré a verla y es mejor así, ahora solo debo serenarme para considerar lo que acaba de pasar, saborear a solas los pormenores de estas últimas veinticuatro horas y hacer acopio de ellos para los momentos difíciles que tendré que afrontar a partir de esa misma noche. Camino dos o tres minutos recto por la acera de este enorme y ruidoso bulevar en una confusión total, sin poder pensar en nada, como un autómata flexible, guiado únicamente por el sol matinal impecable, intentando en vano retener y fijar en mi espíritu las imágenes evanescentes de esa noche densa, ajena al tiempo, ab-

solutamente imprevista, demasiado fugaz, el recuerdo de
mi propio cuerpo enredado en el de una bonita desconoci-
cida en la penumbra de su cuarto, intentando retener los detalles de su rostro, los olores, los gestos, las sombras, los
suspiros, algunas palabras. Camino dejándome invadir por
una poderosa sensación de libertad y de ligereza, puramente orgánica. Simplemente hago el esfuerzo de pensar
que la vida puede reservar a veces extraordinarias sorpresas que no hay que intentar comprender y que, en el momento
que menos dispuesto estás, te devuelven la fe en la vida. Liberado por fin de toda culpabilidad, pienso que la vida me
ha llevado a tomar la decisión correcta. Estoy vengado, Alexandrine y su mobalí ya no me aterrorizan, ahora yo también existo. Me siento seguro, siento que la vida se hace
cargo de mí, pienso que la vida me ama y que tengo suerte.
Camino así por esa acera, decidido hacia ninguna parte,
desde hace dos o tres minutos, cuando siento en mi espalda
que alguien se acerca corriendo. Instintivamente me doy la
vuelta: es Alice que ha abandonado precipitadamente el
edificio de los exámenes mientras esperaba su turno, que
ha corrido doscientos metros por la acera en playeras, con
sus apuntes en la mano. Sus mejillas están sonrosadas, sus
sienes sudan ligeramente y salta a mis brazos, igual que en
las películas. Salvo que en este caso, no resulta falso. No resulta falso porque no salta a mis brazos llorando o con aire
enamorado, en absoluto. Nada de violines, nada de cámara
lenta, solo la realidad, con los ruidos de los tubos de escape
y de los pasos de los otros peatones en la acera. Lo que
hace que su gesto sea auténtico, es que sus ojos no me pi-
den nada, es que no hay nada más en sus ojos sino su voluntad de no dejarme, de no perderme tan pronto. No hay

más que su impulso urgente, entero, irrefrenable, nada más que amor, de hecho, pero que no quiere, no puede y no debe razonablemente formularse como tal. No me dice nada, por cierto, ni una palabra. Tenía el rostro sobre mis hombros mientras yo la levantaba en mis brazos, se disponía a marcharse de nuevo para volver a su examen porque comprendía bien que yo seguía pensando que razonablemente no podía ser de otra manera. Yo lo pensaba, sí, y me negaba a pensar de otra forma, me lo negaba con tanta más fuerza cuanto que me reconocía en esa espontaneidad dispuesta a todo, en esa forma absoluta de considerar el amor, de recaer en él sin protestar, sin calcular, sin reservas, sin desconfiar, sin prudencia.

Tal vez fue por eso que, justo antes de que se alejase, insistí en que me informase con un mensaje de texto del resultado de su examen en cuanto terminara —en Italia, después de un oral, te dicen la nota inmediatamente—. Tal vez. Porque es extraño, no, ese reflejo de querer crear un vínculo a toda costa, de querer *atarme*, en todos los sentidos del término, cuando eso complicaba objetivamente la situación, ¿no te parece? Sin duda me importaba que sacara una buena nota, ¿pero por qué ir más lejos? ¿Por qué esa tan cacareada espontaneidad con la que te doy la lata desde hace un rato? ¿Por qué era superior a mis fuerzas? ¿Por qué evidentemente debía ser así? ¿Por qué soy más sensible y apasionado que razonable? ¿Por qué soy así? ¿Por qué me interesan los demás y no puedo remediarlo? ¿Por qué soy una buena persona? ¿Por qué no soy tan egoísta como los demás y no puedo contenerme y debo aceptarme así? ¡Qué va! Esto no es achacable solamente al flechazo, hay algo por debajo, algo mucho menos puro. No sé cómo interpretarlo.

Son este tipo de detalles, en todo caso, los que debo analizar, creo, para intentar comprender quién soy y cómo funciono. Tampoco se lo pedí por cortesía, ni por sentido del deber. Mi problema, muy mío, anterior a esta historia, sabes, era el sentirme obligado a demostrarle a los demás que me interesaba por ellos para compensar el hecho de que yo sabía muy bien, en el fondo, que no tenía corazón, que la emoción a duras penas surgía por sí misma. Ese, por cierto, siempre ha sido más o menos mi problema con las mujeres, mi problema con los demás en general: sobreactuar para disculparme y disimular que no tengo corazón. Salvo que los demás no son gilipollas y, al cabo de un tiempo, por mucho que te esmeres con ellos y los acunes con tus zalamerías, se dan cuenta de que sobreactúas, y terminan preguntándose si no los estarás tomando por gilipollas con tus sonrisas melosas. La suerte que he tenido es que la gente siempre ha sido lo bastante amable —ni se me ocurriría decir que han sido demasiado *gilipollas*, ¡eso ya sería el colmo del cinismo!— como para no hacérmelo pagar, para no ponerme de una vez por todas frente a mí mismo. Incluso Alexandrine. Por ejemplo, desde el principio de esta conversación —en fin, *conversación*, ¡por llamarla de alguna manera!—, desde el principio de la conversación, no hago más que repetirte: «Amé a Alexandrine con locura». ¿Pero realmente era amor? ¿O más bien hice de todo para que ella no se diera cuenta de que era incapaz de amarla? ¿Y si, desde el principio, no la amaba? ¿Si, desde el principio, me esforzaba para complacerla, para no decepcionarla, para no decepcionar su auténtico amor por mí, para ganar tiempo y terminar amándola realmente? ¿O, sencillamente, para no dar, por orgullo y por narcisismo, una imagen demasiado mala de mí? ¿Y si Alexandrine, que está lejos de ser gilipollas y me vio venir desde el principio, no tuvo las agallas de enfrentarse con la situación y reaccionar en consecuencia porque ella me amaba de verdad, ella sí? ¿Tal vez esa es la razón de que terminara odiándome, a pesar de todos esos años con mis zalamerías amorosas de hipócrita con corazón de piedra, sin tener nunca las agallas de abandonarme porque me amaba demasiado para eso? ¿Es esa, finalmente, nuestra historia? ¿Soy yo el cabrón en este asunto? Ves, te hablo, te cuento mi historia, pretendo ser objetivo, pero, desde el principio, fíjate bien —tal vez ya lo has observado sin decírmelo, por cierto—, desde el principio intento hacerme pasar por una víctima entre líneas. Fíjate: tengo buen cuidado de no hablarte mal de Alexandrine, pero es para disponerte mejor hacia mí. ¿Eso es ser espontáneo? ¿No será más bien maquiavélico?

Bueno, basta de autoflagelación —más complaciente que sincera además—. Si Alexandrine era realmente tan desgraciada conmigo, no debió quedarse. Si se quedó, es porque algo encontraba en mi corazón de piedra, ¿no? Tal vez es que, en el fondo, no es tan duro mi corazón, ¿no? Ella me dice: «En el fondo, nunca me has amado». ¿Pero me amó ella? ¿Me hizo desear amarla? Una vez más, el cuento del huevo y la gallina. Y además, ¿por qué tiene que haber siempre un responsable? Estoy seguro de que por lo que respecta a nuestras pequeñas componendas con el amor, la espontaneidad y nuestro corazón de piedra, de unos y otros, todos estamos más o menos en el mismo saco, ¿no crees? La única diferencia es que yo, yo lo reconozco y lo formulo, no me hago ilusiones. Y mi lucidez me hará parecer forzosamente demoniaco comparado con el tipo medio que le dirá *vete a la mierda* a su mujer cuando piense *vete a la mierda*, que se la follará cuando tenga ganas de follársela, que le dirá *vete a la mierda* cuando ella se niegue a follar, sin intentar limar asperezas a cualquier precio aunque le gustaría hacer lo mismo que el otro. ¿Pero ese tipo hará más feliz a su mujer que yo a la mía? Todos somos iguales, no hay mucho más que rascar. Y además, joder, yo no soy tan malo después de todo, no es verdad. No soy un bloque de cinismo y de insensibilidad, ¡mentira, requetementira! Ironía, tal vez, pero no cinismo. Mira en qué estado me puso todo esto. No terminas en semejante estado cuando no tienes corazón, ¿verdad? ¿Incapaz de amar? Admitámoslo. Admitamos que soy incapaz de amar —según no sé qué criterios objetivos, por cierto, pero vale, admitámoslo—. Dado que me siento culpable por no abrigar esa cosa que me supera —si es que podemos definir así el amor—, entonces, sistemáticamente, sobreactúo: demasiadas palabras de amor, demasiada disponibilidad, demasiados «qué guapa eres», demasiada dulzura, demasiada abnegación, nunca una crisis, nunca un grito, nunca una palabra más alta que la otra, nunca una palabra de rechazo, nunca una vulgaridad, siempre respeto y galantería, siempre dispuesto a complacer, siempre dispuesto a follar —en fin, ese, ese es mi único egoísmo, qué se le va a hacer—, siempre de acuerdo con todo. Y todo esto, cabe precisarlo, en exclusiva y a lo largo de mucho tiempo, sin pasos en falso, sin poner nunca una mala cara. ¿Imposible? Te lo juro, no estoy exagerando, pregúntale a la gente que me conoce bien, que ha seguido un poco mi historia al hilo de los años, ya verás. Pues bien, todo ello, no está tan mal, ¿verdad? Es mejor que la descortesía y el egoísmo banales, ¿no? Es verdad, no tengo la franqueza de decirle a mi mujer: «Lo siento mucho, no tengo la capacidad de amarte, no esperes nada de mí». Prefiero asumir mis compromisos, intentar creer en ellos y ser feliz hasta que, con el tiempo, termine por ni siquiera hacerme la pregunta. ¿No somos todos más o menos así?

Y además, aunque no quiero jugar a *no he sido yo*, siempre son las mujeres las que me buscan. Yo, te lo juro, nunca le he tirado los tejos a nadie. El flechazo, esa cosa de la que dicen que te paraliza sin dejar ningún resquicio a la distancia, creo que, en el fondo, no sé lo que es. Conozco el estado de espera amorosa, el echar de menos, conozco la euforia amorosa, conozco el sufrimiento por la ausencia, conozco todos esos síntomas, pero el flechazo, tal vez no. Sí sé, en cambio, que lo he provocado en unas cuantas mujeres. Tal vez sea eso, por cierto, lo que me ha colocado siempre en una sutil posición de fuerza en la pareja: el hecho de que, desde el principio, nunca he temido que me abandonaran, llegando a veces incluso a desearlo secretamente para poder respirar. Soy un hombre libre contrariado, te repito. Pero no un cabrón. Cada vez, con cada una de esas mujeres, te lo juro, siempre me he mostrado muy cortés, muy amoroso, y ellas no se han enterado de nada. Por cierto, las que tuvieron agallas para acercarse a mí se cuentan con los dedos de una mano: Apolline, Rozenn, Alexandrine, Gassy y Alice. Y a todas les contesté sí, tal era mi gratitud porque hubiesen dado el primer paso. A cada una de ellas le dije: «Eres la mujer de mi vida». Y, te lo repito, en cada ocasión no eran solo palabras, yo me comprometo para toda la vida, siempre me juego el resto. Prefiero forzarme un poco, mentir, hacerme pasar por un ser excepcionalmente cautivado y disponible a riesgo de comprometer mi vida, sin intentar protegerme a cualquier precio, antes que negarle desde el principio cualquier oportunidad a la ilusión, antes que estar en guardia y no provocar ninguna pasión. No estoy hecho para el amor razonable, no soporto la tibieza, la mediocridad y la prudencia. O, seamos francos, no soporto no despertar pasiones, cuestión de ego. Estoy hecho para relaciones de total intimidad con las mujeres, de exclusividad mutua, sin reservas. Y, para eso, hay que pagar un precio. Esto es lo que hay: cada vez, me lanzo de cabeza y lo asumo, no puede ser de otra forma. ¿Acaso es tan malo? ¿No se puede llamar amor también a esto?

Y, qué caramba, lo siento mucho, a mi manera, sé amar, amo a las mujeres. Y, desde un punto de vista más general, me gusta la gente, te lo juro. No regalaría mi camisa, es verdad, de ningún modo daría cobijo en mi casa a toda la miseria del mundo, eso seguro. Pero me gusta complacer, me gusta que los demás estén contentos, no me gusta decepcionarlos. Estoy disponible, soy paciente, tranquilo, generoso y tengo buen humor, esas son mis cualidades. Sé dejar de lado mis preferencias para anteponer las de los demás, te lo aseguro, tengo esa capacidad. No soy mezquino, nunca le he dado la brasa a nadie, eso te lo puedo jurar, puedes preguntarle a quien quieras, nunca le he impuesto nada a nadie. Solo una persona excepcionalmente narcisista puede tener esas cualidades, estoy de acuerdo. Tal vez soy superficial en mis relaciones con los demás, de acuerdo. Pero los respeto y lo único que hago, después de todo, es ayudarlos. Ninguna historia me es indiferente, ni siquiera las de los gilipollas y pesados objetivos. Leí en alguna parte estas palabras sobre no sé quien: *Indiferente pero fascinado*. Así es, es exactamente eso: sin ilusiones sobre las cosas y la gente, pero fascinado como un niño por su existencia, esas son las palabras, así es como soy. Tal vez no doy gran cosa de mí mismo, es verdad, me oculto, es verdad, avanzo enmascarado, es verdad. Pero no le hago daño a nadie. ¿Eso es egoísmo? ¿Se puede realmente, por egoísmo o narcisismo, dar tanto como le di a Alexandrine, que yo he, digámoslo, sí, digámoslo, lo digo, *que yo he amado?* ¡Soy humano, coño, y hago lo que puedo con lo que soy! ¡Yo también tengo corazón, yo también, coño!

Sí, ¿qué te estaba diciendo? Alice, la nota del examen, el mensaje de texto. Así pues, el tiempo es hermoso y suave en esa acera, de morirse —*da morire*, como dicen en italiano, lo dicen a cada momento: *bella da morire, amare da morire, felice da morire...*—, siento que están ocurriendo cosas de lo más extrañas en mí, me siento un poco superado pero las asimilo poco a poco, con calma, el caudal es denso pero regular, hay demasiadas emociones. Le digo con mis dedos *Estoy a esto de enamorarme de ti*, la llamo *Mi amor*, estas palabras me superan sin duda pero no son tan gratuitas como parecen, le pido que por nada del mundo se olvide de comunicarme su nota del oral porque me importa tanto como si hubiese pasado toda la semana ayudándola a estudiar, ese oral me importa como si nos conociéramos desde siempre, ella y yo. Ella lo prometió, nos miramos una última vez, nos besamos una última vez, nos remiramos una última vez, y luego no tuvimos más remedio que separarnos puesto que, después de todo, bien mirado, razonablemente mirado, no había ningún motivo para que cada uno no se fuese por su lado y retomara su vida normal. De modo que se fue, y yo, yo seguí por esa acera interminable en busca de un taxi para volver a casa de mi padre.

Pero estaba tan trastornado que dejaba escapar los pocos taxis libres que pasaban. Aún caminé muchos minutos hasta llegar al final, hasta la intersección con una importante vía rápida paralela al Fiume. Y allí, en el ángulo de una enorme encrucijada, al pie de un semáforo desierto, dejé de caminar porque no podía ir más lejos. Allí me di cuenta bruscamente de que, cuando se ha sufrido como yo había sufrido, engañar a su mujer era la cosa más natural del mundo. Y, de golpe, eso me liberó, de golpe me alivió, de golpe comprendí a generaciones de hombres y de mujeres adúlteros, de golpe me sentí atrapado como todo el mundo en el engranaje de una banalidad triste y tranquilizadora, en un fatalismo ajeno a toda culpabilidad. Mi primer reflejo, por cierto, como cualquier marido adúltero, fue intentar borrar con pragmatismo cualquier rastro de elementos comprometedores. En mi bolsillo quedaban algunos preservativos que deposité, con su caja, encima de la tapa de una papelera fijada al montante del semáforo, en connivencia, por si acaso, a la atención, quién sabe, de otro marido adúltero de mi especie que no tuviera la suerte de encontrar una farmacia de guardia en el momento oportuno. También pensé que antes del aeropuerto, antes de reunirme con Alexandrine esa misma tarde en París, tendría imperativamente que cambiarme de ropa, darme otra ducha y lavarme el pelo para hacer desaparecer el perfume de Alice.

Bueno, a partir de ahí, no sé muy bien cómo contarte las cosas, cómo presentártelas. Si te doy muchos detalles sobre tal o cual suceso o si lo abordo por encima, si acelero la película de los acontecimientos haciendo un zum sistemático sobre lo que siento o si, por el contrario, te describo minuciosamente todo lo que pasó. Pero, antes de nada, me gustaría a pesar de todo saber si no te estoy dando demasiado la lata. Hablo, hablo, hablo, pero, como no dices nada, es imposible saber lo que te interesa y lo que te interesa menos de todo lo que te cuento. Es imposible saber si me escuchas por cortesía haciendo de tripas corazón o si te identificas realmente con lo que te digo de mí, aunque no sea tu problema. Porque es un riesgo tomar la palabra, sobre todo si hablas de ti mismo. No tienes ninguna distancia respecto a la impresión que puedes causar. Y bien pudiera ser que te importen un pito mis estados de ánimo. Qué sé yo, ¿tienes ganas de saber la continuación? ¿No prefieres irte a la cama? ¿Estás seguro? Bueno, de acuerdo, sigo. En cuanto a mi forma de contar, ya veremos, sale como sale y así lo sirvo, sin filtro, es lo más sencillo. Si te hartas, me lo dices y paro, ¿vale?

De modo que, por fin, encuentro un taxi y llego a casa a la hora del almuerzo. Imagino que mi padre y su mujer me ven como veo yo a los que vuelven de una noche en blanco que han pasado haciendo el amor con una desconocida de quien aún se niegan a reconocer que están enamorados. Hay a la vez algo luminoso y ausente en sus rostros. No presentan ninguna señal de cansancio, su estado trasciende las leyes de la biología. Responden a tus preguntas un poco automáticamente, con una perpetua sonrisa en suspense. Son inaccesibles, *están en una nube*, como dicen. Huelen a verano, a ligereza y a felicidad. Y aunque es bien sabido que esta felicidad es fugaz, aunque es bien sabido que no se puede construir una vida entera sobre esa ligereza, no se puede dejar de envidiarlos. Durante la comida, mi padre recibe otro SMS en su móvil: Alice me informa de que ha sacado un 30, le pregunto de inmediato si es una buena nota, ella me responde que es la nota más alta. Estoy orgulloso de haberme acostado con una excelente estudiante y, sobre todo, aliviado de que no suspendiera por mi culpa. Más aún, no puedo reprimir la idea, un poco supersticiosa, de ver en esto un buen presagio: tal vez le traje suerte. Me dice que le gustaría mucho verme una última vez antes de que me vaya al aeropuerto, me pregunta si no puedo escaparme aunque sea un cuarto de hora, ella acudiría con su Vespa donde me venga bien. No termino de saber qué me lleva a responderle que sí: su insistencia amorosa o bien esa propensión a la atadura que desata en mí —perdón una vez más por el juego de palabras involuntario— con su insistencia amorosa. En resumen, colgamos, le devuelvo el móvil a mi padre y decido no sentirme culpable por tener que anunciarles que, una vez más, voy a dejarlos colgados.

Después del almuerzo, pues, hago mi equipaje y, al igual que la víspera, salgo de casa y voy a pie hasta la carretera principal. Pero, esta vez, con una sensación bastante desagradable de urgencia y de final de vacaciones. Alice me espera en la misma plazoleta de la víspera, pero con otra ropa, una Vespa aparcada a su lado y sin su perro. Nos encontramos con sonrisas auténticas, con auténtica complicidad, y también con auténtica tristeza que intentamos mal que bien trascender tanto ella como yo con nuestras sonrisas. Su mirada ya no traiciona ningún instinto defensivo hacia mí. Solo está llena de confianza y de reconocimiento, disponible y ofrecida. La mía hace como si ignorara esa llamada, me fijo en su camiseta roja y en sus pantalones holgados intentando en vano recordar el roce de su piel bajo la tela, la redondez de sus nalgas y el sabor y el color de su sexo: de nuevo es una extraña. Nos decimos adiós largamente, nos deseamos buena suerte, una vida dichosa, sé feliz, te deseo de todo corazón que seas feliz, no, nada de mail, nada de direcciones, nada de teléfonos, dijimos que no, ¿verdad? Pero no hay nada que hacer, algo suena falso en la certeza de que no volveré a verla nunca más. Hablamos durante veinte minutos con mucha dulzura, nos besamos un poco pero nos abrazamos mucho, y entonces yo debo volver a casa para recoger mi equipaje y salir hacia el aeropuerto. *No, nada de mail, ni teléfonos, ni direcciones, no debemos. Ha sido maravilloso pero no debemos. Que seas feliz, buena suerte.*

Estoy en la moto de mi padre, detrás, él es el que conduce y me lleva al aeropuerto, tengo un casco en la cabeza y mi bolso en bandolera, y veo desfilar Romanza y luego cómo se aleja en esa luz que no ha cambiado desde mi llegada. Tengo la impresión de abandonar un lugar que me protege, no recuerdo un adiós tan triste y nostálgico. Cualquier perspectiva objetivamente favorable está empañada por el manto de plomo Alexandrine: París al final del verano, las últimas compras antes de Tanambo, el avión de regreso, el reencuentro con los niños y el sol de allí. La angustia crece a medida que nos acercamos al aeropuerto, pero más razonable, más controlada. Se parece a la pesadumbre que me aquejaba de niño al volver a clase en septiembre. Mi padre me dice adiós en la acera no sabiendo realmente qué puede añadir, porque aún es demasiado pronto para los consejos. Yo soy el que habla: «He hecho lo que tenía que hacer, papá, estos días me han salvado la vida, creo que puedes entenderlo». Porque, mientras le doy un beso, caigo en la cuenta de que hace veintisiete años él vivió lo mismo que yo. Exactamente lo mismo, hasta en los más mínimos detalles: salvo por dos años de diferencia, tenía mi edad, estaba expatriado en África él también, casado él también, viviendo con mi madre desde hacía los mismos años que yo con Alex, dos niños pequeños él también, su pareja que se rompe, un amante mobalí para mi madre, una amante italiana para él. Sí, sí, te lo juro, es verídico. ¡Qué locura, no! Por cierto, entre paréntesis, hace poco le envié un SMS en el que le preguntaba: «¿No te resulta inquietante que vivamos *exactamente* la misma historia, papá?». ¿Sabes lo que me contestó? Me contestó: «La educación, es eso». No está mal, ¿verdad?

De modo que arranca su moto volviendo la cabeza tres o cuatro veces seguidas mientras se aleja, como acostumbra hacer cada vez que se va y no volveré a verlo antes de mucho tiempo, siempre el mismo ritual desde mi infancia. Entro en el aeropuerto, voy a sacar mi tarjeta de embarque y, desde una cabina telefónica, llamo a Alexandrine a París para saber el nombre y la dirección del hotel que ha reservado y donde debo reunirme con ella, puesto que habíamos decidido que a mi regreso de Romanza iríamos a un hotel para así reencontrarnos mejor. Te recuerdo que no habíamos hablado por teléfono desde anteayer. Pero, esta vez, me importa un carajo lo que piense de mí y lo que pueda decirme. Por primera vez, no tiemblo esperando de ella un poco de dulzura o una palabra amable que me permita sentirme bien. Solo hago acopio de mis fuerzas, recuperadas en estas últimas cuarenta y ocho horas, para no flaquear en mi decisión de no seguir dependiendo de su humor. Descuelga. Su tono pretende demostrarme que acepta dirigirme la palabra e intentar conversar sosegadamente, pero que sigue pensando lo mismo y que, de todas formas, soy irrecuperable. En mi voz debe de haber una curiosa mezcla de venganza, desapego y resignación. Ya no tengo miedo, sé de nuevo que soy un hombre, que yo también puedo levantarme una amante con solo chasquear los dedos, iguales, un set para cada uno, acepto que volvamos a empezar tú y yo, acepto que lo olvidemos todo, si estás dispuesta, yo también lo estoy, no deseo otra cosa, la vida familiar a mí me pone, tú también, tú me pones, pero, te lo advierto, el infierno, nunca más, sé que tengo recursos, yo también amo la vida, yo también.

Bueno, claro, no le dije todo esto. Me doy por contento con pensarlo, con convencerme. Porque, en lo más profundo de mi ser, no tengo ganas de verla, es muy pronto, no tengo ganas de enfrentarme ahora mismo de nuevo con la jeta que va a ponerme y los reproches que me hará. Lo que le digo, con un tono bastante firme, al límite de la provocación, es: «Hola, soy yo, ¿qué tal? Romanza me ha sentado muy bien, me ha dado tiempo para centrarme un poco, para reflexionar, he reflexionado mucho, te prometo que no volveré a fastidiarte con mis jeremiadas de apaleador apaleado, estoy mucho mejor, estoy listo, repuesto, todo va bien». Claro, mi discurso es de doble sentido, de lo más perverso. En lo más profundo de mi ser, me gustaría que lo supiera para que sufriera a su vez, para que me mirara otra vez como alguien deseado y, por lo tanto, deseable, eso seguro. Pero estoy dispuesto a asumir lo que le digo, te lo juro. Me conoce de memoria, sabe que, en general, no hablo por hablar, sin duda percibe en el tono de mi voz que ha pasado algo, permanece a la defensiva, tipo: vale, ya veremos, acepto creerte pero tampoco te librarás así como así, no olvides que eres un monstruo y que me

has destrozado, ciao, hasta la noche. Cuelgo e, inmediatamente después, cosa de treinta segundos, ¿qué hago?
Llamo a Alice, cuyo número he guardado cuidadosamente
en mi cartera, disimulado entre los dobleces de mi permiso de conducir. Llamo sin vergüenza, fríamente. Soy consciente de que, con este telefonazo, entro de cabeza en la
mentira y la esquizofrenia yo también, que mi doble vida
de marido adúltero empieza oficialmente, ni más ni menos
que cualquier otro marido adúltero del montón. Piensas:
«Ya está, yo también he caído, debe de ser que son inevitables, este tipo de cosas». Te ves a ti mismo, en tu cabeza,
con la sonrisa amarga de la mediocridad impotente, te das
cuenta de que tus ilusiones eran demasiado puras para ti,
tienes mentalmente la sonrisa torcida del tipo que nunca
estará por encima de la media y al que solo le queda su
sonrisa para conjurar, de pronto te vuelves fatalista, y, en tu
mediocridad, descubres un nuevo sentimiento, a la vez re-
pulsivo y placentero, descubres que te sientes bien en el
mal, incluso si la conciencia de estar en el mal, no hay más
remedio que admitirlo, te echa a perder un poco el lado del
bien. Tras Alex, pues, cuelgo, saco la tarjeta del restaurante
de entre los pliegues de mi permiso de conducir, descuelgo
otra vez el auricular, marco, dejo sonar y, a Alice que responde casi enseguida, le digo que no podemos separarnos
así, que no puedo no volver a tener noticias suyas, que
creo que estoy enamorado, que me importa un carajo saber si estoy haciendo una gilipollez o no y que, en cuanto
recupere mi móvil en París, le envío por SMS mi e-mail, mi
teléfono en Francia, la dirección de mi oficina en Tanambo
y también mi número de teléfono allí, el personal y el pro-
fesional.

De mi regreso a París, recuerdo sobre todo el trayecto en taxi desde el aeropuerto. También en Francia era un verdadero atardecer de verano, un crepúsculo muy suave, muy despejado, el cielo era una escala de anaranjados y de azul noche, el taxi avanzaba a toda velocidad por la circunvalación fluida y yo pensaba a ratos en las veinticuatro horas pasadas con Alice y a ratos en el inminente furor de Alexandrine. Cuanto más cerca estaba de la ciudad, más aumentaba la angustia, mezclada con mi frenética voluntad de convencerme de que me había liberado. Para darme fuerzas, para meterme bien en la cabeza que ya no le tenía miedo a Alexandrine, que ya nunca más tendría el poder de minarme, garabateé con demasiado nerviosismo en una libretita, en inglés: «Alice, te echo de menos, tu sonrisa me hace sonreír, Alice, te echo de menos, me has devuelto la vida y la sonrisa, no puedes imaginar lo que acabas de hacer por mí, quiero volver a verte, te echo de menos, te echo de menos, eres mi ángel, eres mi ángel italiano, mi ángel rubio italiano, he conocido a un ángel», ad libitum. Y luego mi taxi llegó al hotel, en el Marais, justo al mismo tiempo que el taxi de Alexandrine, que traía nuestras maletas. Mi corazón latía, no de culpabilidad, eso no, sino porque yo me repetía conscientemente desde Romanza que Alexandrine me ponía tenso cada vez que la veía, y que no volvía a ser yo mismo realmente más que estando solo o en compañía de otras personas, nunca en su presencia. Pero, contra todo pronóstico, está bien dispuesta hacia mí. En todo caso, no me tuerce el morro. Tanto mejor, aunque terminé descubriendo varias semanas más tarde que lo que la había calmado y le había dado fuerzas para hablarme con normalidad en ese momento, fue que había retomado contacto por mail con su mobalí esa misma tarde, más o menos a la misma hora en que yo le decía adiós a Alice en la plazoleta, en Romanza. Resultado, una vez en la habitación del hotel, con la cama evidentemente expuesta ante nosotros, se planteó de nuevo la cuestión de hacer el amor. Pero, una vez desnudos y mi mano entre los muslos de Alex, mi cabeza me traiciona de nuevo, es el círculo infernal, imposible, no se me pone dura, al igual que desde hace tres semanas, no logro empalmarme por culpa del mobalí, cuando me he empalmado como un burro durante tantos años por nada. Ni una palabra de ánimo de Alexandrine, ni una mano compasiva en mi pelo, ni una caricia, nada, solo la mirada «Déjalo estar» del día de su regreso de Kodong, solo la mirada «Él sabía volverme loca, él sí, en mi habitación de hotel, allí», solo esa puta mirada «Apáñatelas como puedas, no soy tu niñera», solo lo necesario en su mirada para hacerme sentir una vez más como un mierda sin tener que decírmelo. Se libera con suavidad de mis brazos, se da la vuelta y se duerme acurrucada, de morros, cosa que hace muy bien, como si toda la desgracia del mundo la hubiese elegido a ella, Alexandrine, para caer sobre su jeta y yo fuese, yo, toda su desgracia del mundo, la suya, de Alexandrine. Se da la vuelta como de costumbre torciéndome el morro, pero esta vez, me da exactamente igual, tengo a Alice y a mi polla perfectamente tiesa y resistente para ella en mis pensamientos, esta vez no me pongo malo, esta vez no rumio esa frase memorable que me soltó en una ocasión parecida, una semana antes de Romanza, cuando yo le decía que me ponía malo el no ser capaz de empalmarme para ella por culpa del mobalí: «Sabes lo que te digo, esto no debería durar mucho. Si no...». Esta vez, nada de una noche en blanco llorando sobre mi polla traidora, diciéndome que la vida está mal hecha y que un día reventaré de deseo. Esta vez, yo también, me duermo.

En cambio —nunca mejor dicho—, a la mañana siguiente, alentado por el recuerdo de Alice, me follo a Alexandrine tres veces seguidas en la habitación, como no la había follado desde hacía mucho tiempo, largamente, firmemente, ásperamente, como una pelea, como a ella le gusta. Es la tensión instalada entre nosotros desde hace tantos meses y nuestro espíritu revanchista mutuo lo que nos hará follar así, cada mañana y cada noche, en esa habitación de hotel. Las sesiones son vigorosas pero sin felicidad, lo hacemos pero cada uno va a su aire. Se hace sin ternura, huele a canto del cisne, es de lo más retorcido: es la perfusión Alice la que me hace excitarme y resistir ante mi mujer, y es el recuerdo de la polla de su mobalí el que la hace, a ella, desear la mía. Durante el día, la tensión a duras penas se calma gracias a estas citas en la cama. Pero Alexandrine sigue reticente. Yo quisiera más, de esas sesiones, quisiera que pasásemos nuestros días así, en la cama. Porque, más que nada en el mundo, me gusta follar, porque me gusta follar a Alexandrine, porque quisiera recuperar de una vez por todas todos esos años de deseo a reventar, y luego porque también creo que con buena voluntad por ambas partes, nuestra pareja podría volver a empezar seriamente sobre una buena base como esta y de paso recuperar la ternura. Pero el rencor de Alexandrine es tenaz, la destrocé, la traicioné, eso es para siempre, de ninguna manera va a dejar que me libre así como así. Con la carota que me pone la mayoría de las veces, te lo juro, no tengo elección, me fuerza al combate psicológico. Y yo, evidentemente, desde

Romanza, estoy que me salgo, o *salido* —disculpa, no he podido evitarlo—, cargo las tintas, necesito vengarme solapadamente, necesito estúpidamente probarle a Alexandrine que ya no tiene el monopolio del adulterio consumado, que ya no tiene sobre mí ese ascendiente aplastante, que no volveré a ser su juguete y que tengo mi orgullo, yo también. Una noche, incluso fuimos a una discoteca de Pigalle, Alexandrine pone caras largas sin razón —en todo caso no me la pone a mí, la carota, creo que se la pone a sí misma—. Ese es, por cierto, su problema, el de Alex, es que es a sí misma, finalmente, a quien le tuerce el morro todo el tiempo. Por lo tanto, se niega a bailar por no se sabe qué motivo, y yo, yo decido pasar de ella, voy a la pista. Colmado con el recuerdo de Alice, bailo solo y durante mucho tiempo mientras Alex, agobiada por mi buen humor, permanece sentada, de morros, delante de su coca-cola que se desinfla. Esta vez, ni hablar de cortarme, ni hablar de ir a preguntarle a cada rato con mi voz almibarada, compasiva y culpable: «¿No quieres venir? ¿Pero qué te pasa? ¿He dicho o hecho algo que no te ha gustado? ¿Quieres que nos vayamos a casa?». Ni hablar de intentar tranquilizarla, ni hablar de sentirme culpable por intentar ser feliz y no ponerme también mala cara a mí mismo. He decidido dejar de pagar y, por qué no, cobrarle un poco a su vez, a ella también. Así que bailo sin dejar de sonreír con el dulce recuerdo de Alice. Una mañana, por cierto, no puedo reprimirme, necesito remover el cuchillo en la herida, jugar un poco con fuego. Durante una conversación, le digo: «Oye, ¿no te has fijado? Ya no me quejo, ya no gimoteo por el mobalí, ya no necesito una niñera ni una mamá, me he sobrepuesto. En Romanza comprendí que tenía que sobreponerme». Pero lo pregono demasiado para que suene auténtico, para que no parezca una fría revancha. Me gustaría que lo supiera, pero sin tener que confesárselo. El segundo o tercer día, incluso Alex me reconoce que efectivamente he cambiado e, irritada por mi autosatisfacción y mi entusiasmo un poco agresivo, termina preguntándome sin tapujos: «¿Ha pasado algo mientras estabas en Romanza?». Evidentemente, lo niego, incluso disfruto negándolo con tanto aplomo, le digo, casi reprobador: «¿Pero cómo crees que podía pasar algo en dos días, con mi padre y su mujer a menos de diez metros las veinticuatro horas del día?». Y entonces, me suelta, bastante amenazadora, demasiado amenazadora para que me entren ganas de decirle la verdad: «Óyeme bien, si un día me entero de que ha pasado algo en Romanza y que no me lo has dicho, entonces, te garantizo que vas a descubrir *realmente* mi cara B. De modo que, si tienes algo que decirme, adelante, es el momento, aprovéchalo, es ahora o nunca, no habrá una segunda oportunidad».

A partir de esa frase precisa, me acuerdo, decidí conscientemente asumir que mentiría como un bellaco de ahí en adelante. Aprovecho los ratos que Alexandrine pasa con su hermana durante el día para llamar a Alice, para decirle que necesito volver a verla y que la dulzura de nuestra noche y de su sonrisa me hacen falta agónicamente. *Da morire.* Y sin embargo, por la noche, me follo a mi mujer e intento convencerla de mi amor incondicional por ella. ¿Es Alexandrine a la que engaño, o bien a Alice? Me siento inmerso en una confusión cómoda, paroxística, siento que me vuelvo potencialmente maquiavélico, me digo que es fácil volverse un cabrón, empiezo a entender a los criminales y a los dictadores. Dos, tres días después, en el avión que nos devuelve a Tanambo, siento una intensa tristeza al fijarme, en el mapa numérico incrustado en el respaldo del asiento, delante de mí, que estamos sobrevolando la región de Romanza. En su asiento, Alexandrine duerme. Aprovecho para escribirle a Alice en mi libreta, siempre en inglés, que me siento mal, que no sé qué pinto en ese avión mientras Romanza se aleja en el mapa. Que tengo ganas de coger un paracaídas y saltar, así, en el acto, y verla de nuevo bajo esa luz de final de verano, los dos días más hermosos de final de verano de mi vida.

En Tanambo, de nuevo los niños, la casa, la vida cotidiana, retomo el curro. Alexandrine decide seguir durmiendo en habitaciones separadas. Aunque he vuelto blindado gracias a mi encuentro con Alice, Tanambo está a diez mil kilómetros de Italia, y, en cuanto pongo un pie en casa, todos los fantasmas de las tres semanas que pasé temblando como un cornudo mientras Alexandrine estaba en Kodong, así como todos los nuevos que surgieron y se desarrollaron a su regreso me saltan al cuello. Son detalles de nada, pero que, como entraron en mi vida cotidiana en ese momento, durante esas semanas, adquieren un relieve y una carga dramática insospechada: una marca nueva de champú, el tono *Espionaje* en su nuevo Nokia, algunas calles desiertas de Tanambo por las que nunca antes había pasado, los videoclips de *Brozasound TV*, todo el disco del grupo Tribalistas —¿lo conoces?—, el DVD de *Lost in Translation* que trajo de Kodong y en el que, mientras lo veíamos juntos, una noche, antes de Romanza, relacioné la historia de la chica con la suya sin decírselo, con Bill Murray en el papel del mobalí y Tokio en el de Kodong. Es terrible, los olores y los objetos. Y, peor aún, la música, ¿no? Cada vez que cruzo el umbral de mi cuarto de baño, las microproyecciones de mi sangre en las paredes, el sábado de mi masacre, me vuelven a la memoria. Todo lo tocante a Alexandrine despierta en mí un recelo enfermizo. La burbuja material que se ha fabricado para protegerse, para existir, para ya no depender, como antes, exclusivamente de mí y basarlo todo exclusivamente en mí, por lo que tengo la sensación de que se me escapa aún más: su cuarto, sus libros, su música, su ropa, sus braguitas, sus frascos de perfume, su bolso, sus libretas, su móvil, sus conversaciones en voz baja en el jardín, las horas que pasa en el cibercafé escribiéndole quién sabe qué a quién sabe quién. Todo eso además de los tíos, claro, todos los tíos potables y todos los negros de más de 1,85 m y 90 kg que puedes cruzar en la calle o ver en la tele. A veces me veo a mí mismo como el personaje de François Cluzet en *El infierno*, de Chabrol —¿has visto esa película? Pues anda a verla, ya verás, es exactamente igual, ahí están todos los síntomas de unos celos enfermizos. Salvo que Emmanuelle Béart, su mujer en la película, es dulce, sonriente, no está de morros, y que él, Cluzet, termina volviéndose violento y se le cruzan los cables—. Yo, yo me limito a mi angustia insoportable y a fingir indiferencia para cobrarle a Alex esa angustia. Ante los demás, mantengo el tipo como puedo. Entre bastidores, escribo obsesivamente en trocitos de papel unas preguntas que a veces tengo el valor de hacerle a Alex y a las que me responde, según, de buena gana, o bien a las que, irritada, se niega en redondo a contestar: «¿La suya era más gorda y más larga que la mía?», «¿Gritabas?», «¿Te cogió por detrás?», «¿Tenía pelos en el pecho?», «¿Te hacía reír?», «¿Te dijo que te amaba?», «¿Estás enamorada?», «¿Piensas en él todos los días?», «¿Has guardado las fotos que le tomaste en tu cama?». Y, paradójicamente, follamos. Quedamos al mediodía, entre las doce y las dos, o por la noche después de acostar a los niños, ella me invita por SMS a su cuarto, yo la invito al mío, encendemos unas velas, quemamos esencias aromáticas, ponemos música, podría ser un buen comienzo, además follamos bien, follamos bien porque por fin follamos cada uno por su lado, hemos terminado encontrando así nuestro equilibrio sobre este punto. Pero hay un fango pútrido permanente que enturbia nuestras relaciones. Entre nosotros, las cosas se marchitan, se pudren de día en día. El rencor y el odio sordo por un lado, la revancha y la angustia tenaz por el otro. La confianza y la inocencia, de uno y otro, se terminaron. Por mi lado, claro, para protegerme también, tengo a Alice. Pero todavía estoy demasiado confuso para saber si aún sigue en mi vida para acompañar apaciblemente mi regreso definitivo hacia Alexandrine o bien si, al contrario, estoy esperando dejar a Alexandrine para ir a reunirme con Alice para siempre, aunque esta última solución es, desde un punto de vista práctico y ético, impensable. Todo lo que sé, todo lo que siento sin hacerme demasiadas preguntas, sin dejarme engullir por el desasosiego y la inquietud, es la impaciencia de abandonar cada mañana el infierno subrepticio de casa para ir en busca de los e-mail-río y las fotos suyas que Alice me envía al ordenador de mi oficina. Es la ventana que abro en mi espíritu cuando le respondo por mi parte con las escasas fotos mías que me quedan y con e-mail-río a los suyos, cartas interminables en las que, precisamente, como el primer día en el banco de la plazoleta, no le oculto nada. Nada de mi historia, de mis historias, nada de mi confusión, de mis contradicciones, de mi sentimiento de culpa, de mi deseo encarnizado y de mi hipocresía en el amor. Es la primera vez que no le oculto nada de esta índole a alguien.

Así establecemos, día tras día, una relación a la vez virtual y sincera de palabras, para uno y otro es una cuestión de honor el ir lo más lejos posible en la sinceridad y el autoanálisis de nuestros defectos respectivos, un poco como si quisiéramos preparar un terreno niquelado para un futuro en común. Durante el día, me manda por SMS versos de Pessoa, me pregunta si prefiero el mar o la montaña, ducha o baño, el coche o el tren, si me gusta el aceite de oliva, los perros, las chicas que se maquillan, los tangas y el grupo Orishas. Le cuento mi infancia, los crepúsculos de Tanambo al volver de la playa los domingos, las lunas llenas enormes, el viento capaz de descornar a los cebúes y el olor de la estación de lluvias, le pregunto por SMS si prefiere las patatas fritas o las batatas, si no odia demasiado el fútbol, si le gustan los hombres de traje y corbata y Debussy. Es increíble el bien que me hace. A pesar de la distancia, su presencia me procura una sensación olvidada de paz, de ligereza, de simplicidad, de dulzura, de luz. Todo lo relacionado de cerca o de lejos con Italia, claro, me lleva a pensar en ella y a sentir tanto más cruelmente el tiempo y los kilómetros que nos separan: el italiano de los dueños de restaurantes italianos de Tanambo, un Ferrari impreso en una camiseta sobre la acera, una marca italiana de lavadoras, un político italiano entrevistado en el telediario de las ocho, una aparición del Papa en su balcón de Roma, un título de Primo Levi entrevisto en los anaqueles de la biblioteca municipal de Tanambo. Hasta los partidos del equipo de fútbol de Monte que veo en directo por Eurosport pensando, cuando juegan en casa, que Alice debe de estar como mucho a menos de dos o tres kilómetros del estadio en ese preciso momento. Una y otra vez todo eso me sumerge de nuevo en Romanza, en esa luz de final de la tarde en la plazoleta, en la excepcional templaza de ese principio de septiembre, en la penumbra de su cuarto de estudiante con las ventanas abiertas, en nuestras sombras en la cama durante la noche, todo eso me devuelve sin cesar al rostro y a la sonrisa de Alice. Y esas imágenes son para mí un refugio, pero también avivan una terrible sensación de ausencia, algo así como una droga deliciosa, aunque de efecto demasiado evanescente y bajón severo.

Sin sospecharlo, ella me hace reencontrarme con mi latinidad, con el Mediterráneo, con mi infancia soleada. Me trae a la memoria las películas ligeras rodadas en los años sesenta en la Costa Azul, en verano, los descapotables, el sol omnipresente y el canto de las cigarras de fondo sonoro, me trae a la memoria la Italia de *Le Corniaud*, me trae a la memoria los spaghetti-western, a *Jean de Florette* y *Manon des Sources*, a los Don Camillo en blanco y negro, al Marruecos de *Cien mil dólares al sol*, al sol del *Salario del miedo*, a las películas de Philippe de Broca, también películas italianas, claro, películas con Nápoles de telón de fondo, del tipo *Perfume de mujer*, con Vittorio Gassman, me trae a la memoria todas esas películas llenas de sol, pero también las palmeras, las pequeñas estaciones de tren provenzales desiertas al mediodía en pleno mes de agosto, los horarios de verano clavados en los embarcaderos de las motonaves de la rada de Faront, los cenadores, las compras en Carrefour para una barbacoa familiar, el paisaje provenzal de tierra adentro, el regreso de la playa, el vello de los brazos que amarillea con el bronceado, el sabor de la sal en el pelo, los deseos adolescentes al borde de una piscina exacerbados por el olor de los pinos marítimos, los paseos en chanclas entre las vides, los partidos de tenis con el torso desnudo, en Luberon, junto al mar, las veredas costeras, en Porquerolles, los chapuzones a medianoche, las islas griegas, los buñuelos de calamares en Tarifa, ella despierta en mí sensaciones solares incluso anteriores a todo eso, no necesariamente mediterráneas, me trae a la memoria los años setenta, en los que me parece, de forma totalmente arbitraria, que la luz del sol era más cruda y el mundo más vasto, menos poblado, más silencioso, como puede parecer el mundo cuando eres un chiquillo y vives en países con sol, me trae a la memoria un mar como una balsa de aceite en el Levante, cierto amanecer vaporoso en la primavera de 1979, me trae a la memoria un almuerzo al borde de la piscina del Hotel Laguna, en plena selva de la región de Sonoufo, un día de julio de 1982, cuando la observación de las nubes en un cielo infinito me llevaba a desear un lugar demasiado absoluto y demasiado abstracto, demasiado *más allá*, algo que no lograba formular y del que tenía, ya, tan joven, la impresión de que nunca lo alcanzaría, un mundo inmutable hecho de paisajes, de cielos y de luces idénticas a las de este mundo que sin embargo no eran de este mundo, menos concreto, menos terrenal, no sé. Ella me lleva a pensar en nuevos viajes: Brasil, Portugal, unas islas en el Pacífico. Con ella, tengo la sensación de que, aunque nunca alcance ese lugar, ya no necesitaré buscarlo. Ya está, ves, es un poco así lo que el recuerdo y la imagen de Alice me procuran en esos momentos.

Y, lo que me encanta, es que no sueño solo. Un día, apenas transcurridas dos semanas desde de mi llegada, me envía un documento adjunto de ocho páginas de apretada escritura. En la casilla «Asunto», ha escrito: *Devo raccontare una storia*. En el texto narra en italiano nuestro encuentro, es algo así como el contraplano de mi versión, su punto de vista, el punto de vista femenino, ¿me entiendes? Este texto realmente marcó un hito suplementario en mi forma de ver a Alice, de descubrir el verdadero tenor de sus sentimientos hacia mí, y, por lo tanto, de ayudarme a definir mejor los míos por ella. Precisamente a partir de ese texto fue cuando me dije conscientemente: «Me gusta realmente. La amo». ¿Por qué? Porque, en primer lugar, escribe muy bien. Era en italiano, vale, pero con el minidiccionario bilingüe que le pedí prestado a Claudio —ya sabes, el tío de la Honda azul—, pude entenderlo todo. Describe las cosas con mucha finura, con, al mismo tiempo, una gran madurez, sensibilidad, gravedad, humor y precisión. Y un estilo maestro, cuando sabes descifrarlo, digan lo que digan, te demuestra toda la capacidad de tu interlocutor, no hay nada más evocador de las posibilidades mentales y del poder de la imaginación de un individuo, es tu mejor carta de presentación, tu mejor intérprete, tu mejor portavoz. Tu mejor detector de mentiras, también, en algunos casos. Recuerdo de memoria fragmentos de frases como —traduzco palabra por palabra, ojo—: «Sola y simple me deslizo por el asfalto como el agua, insensible a los rumores que me rodean», como: «Una paradoja de sensaciones que me impiden creer que soy realmente la misma que hace dos días», como: «Veinticuatro horas de una pasión límpida», como: «Uno y otro tranquilamente protegidos por nuestro anonimato respectivo», como «Horas densas e inquietas», como también   esta vez te lo digo directamente en italiano, no traduzco. Bueno, es un poco largo pero, incluso si no lo comprendes, sentirás que es hermoso—: «*Tutti e due stravolti dalle nostre stesse emozioni ci contorcevamo nei nostri desideri per riuscire a non dire ciò che non doveva essere detto*». ¿Lo has entendido? Es precioso, ¿no? Su utilización precisa de adjetivos relativamente complejos, como «lábil», por ejemplo, en absoluto pedante, me lleva a preguntarme por cierto si el italiano no integra con más naturalidad esos vocablos en el lenguaje corriente. Resumiendo, así fue cómo confirmó su seducción, mediante la escritura. Pero bueno, tal vez yo, por mi parte, esperaba la primera ocasión válida para embalarme, no te digo que no. Pero eso no quita que, con sus palabras que me revelaban perfectamente su visión a la vez distanciada y encarnada de las cosas, dio en el blanco. Y además, era la primera vez en mi vida que me veía puesto en escena. Es de lo más raro, convertirse en un personaje en tercera persona del singular en la pluma de alguien que sabe escribir. Te reconoces, pero, al mismo tiempo, te dan sobre ti precisiones físicas y psicológicas en las que nunca habías pensado pero que parecen acertadas. Te descubres visto desde otros ángulos, te ponen de relieve cosas, palabras, gestos que hiciste, que a ti te parecen completamente insignificantes pero que, en realidad, te das cuenta de que te definen muy bien. Te ves a distancia, pero sin distancia, entiendes lo que quiero decir, ¿verdad? Vale la pena, te lo aseguro. Por ejemplo, ella me describe, cito de memoria, «atravesando la plazoleta inundada de sol, vestido con colores claros y avanzando lentamente, ligero, ojos verdes, rasgos del rostro nítidos y precisos, cabellos largos y rubios, parece un ángel, o un pirata», ¿te haces una idea? De lo mejor para animarte, ¿no? Describe nuestra noche también, describe nuestros abrazos con sus palabras, y es hermoso, palabras de mujer que describen su propio placer, no engañan, no intentan deslumbrar, es algo que pasa por parámetros completamente diferentes de los nuestros. Cool, ¿no? Y además, es halagador y tranquilizador, para mí, verme otra vez en el papel del príncipe azul después de tres meses en el del marido cabrón, cornudo y con la picha floja. De hecho, lo que me gustó, en sus descripciones, es sentirme observado con atención, sentirme admirado, y *amado*, digámoslo, aunque sé perfectamente que después de una conversación en una plazoleta, una noche y algunas cartas, es un poco arriesgado hablar de amor. Aunque.

Como nuestra relación descansa desde el principio sobre la base de la imposibilidad de concretarse, Alice, así lo siento, querría pero no se atreve a pedirme más. Tras mi comportamiento de maridito adúltero del montón con Alexandrine, incluso si tengo buen cuidado de no hacerle ninguna promesa, a veces me siento con ella en el papel caricaturesco, deprimente, del amante casado que no logra decidirse. Para preguntármelo a pesar de todo pero sin preguntármelo del todo, me anuncia que ha roto con su chico de Monte. Lo interpreto como un gesto significativo pero le digo que no puedo actuar tan libremente como ella. Me responde que lo comprende muy bien, que no me pide nada. Nos escribimos, algo es algo. SMS, e-mails, teléfono: cada uno cuenta su historia y su vida hasta en los detalles más nimios, nos escuchamos, intercambiamos instantáneamente decenas de miles de palabras a través de diez mil kilómetros de éter, aprendemos a conocernos día a día, nuestra atracción recíproca y nuestras similitudes se confirman, cada vez parece más evidente que aquí hay con qué formar una estupenda pareja pero es imposible, se lo digo todos los días: «Sabes tan bien como yo que es imposible, ¿verdad?». Un día le digo: «¿Adónde vamos? Es absurdo», al día siguiente le digo: «Qué importa que sea absurdo o no, qué importa adónde vamos, vayamos, no pensemos demasiado, no dejemos de escribirnos, no dejemos de empezar a amarnos como estamos haciendo tan bien, no dejemos de echarnos de menos». Un día, le digo: «Duele pero hace tanto bien», al día siguiente: «Hace tanto bien pero duele tanto». A pesar de la costumbre que he adquirido de volver todos los días a casa al mediodía y por la noche, como si no pasase nada, de besar a mis hijos y despachar los asuntos cotidianos con Alexandrine, la situación es insostenible. Me doy cuenta de que por muy marido adúltero y mediocre que sea, no estoy dotado para la mentira de largo aliento. Siento que no soportaré este ritmo durante mucho tiempo, hay que actuar. Una mañana, dejo a los niños en el colegio. Los veo alejarse lentamente, agarrados de la mano, con su pesada mochila a la espalda, y se me saltan las lágrimas: la inocencia, te destroza. Por mucho que intente imaginarlos a los dieciséis años como dos zangolotinos larguiruchos, con sus colegas, sus historietas de amor, sus amigos, sus secretos y poniendo carotas, ni pensarlo, no puedo hacerles eso. Seco mis lágrimas, corro a besarlos y, en cuanto entran a clase, le envío de inmediato un SMS en español a Alice. En resumidas cuentas, le digo que aunque me destroza, debemos dejarlo, que no puedo más, que voy a volverme loco. Yo, desde el comienzo de toda esta historia, es así como actúo: un paso adelante, dos atrás. Con Alexandrine, un paso adelante: *Te abandono*, dos atrás: *Me quedo*. Con Alice, un paso adelante: *Nada de correos electrónicos, nada de telé-*

fono, nada de direcciones, dos atrás: *e-mail,* dirección, teléfono, más una correspondencia nutrida que nos liga cada
día más. O bien no sé realmente lo que quiero, o bien no
soy capaz de aceptar que ya es hora de que abandone a
Alexandrine. Alice, nada tonta —es una mujer, y son menos
gilipollas que nosotros, no es por nada, son muy listas—,
Alice, ella, me caló desde el principio. Exactamente igual
que Alexandrine, por cierto. Me calaron tanto una como
otra, pero no desde el mismo ángulo. Ella responde a mi
SMS con un conocido poema de Neruda, ya sabes, ese
donde está la metáfora del árbol que, por despecho amoroso, se ve obligado a hundir sus raíces en otra tierra, sabes
el que te digo, ¿no? A mí, evidentemente, lo de Neruda, me
hace daño, me digo que estoy dejando escapar a la mujer
de mi vida. Pero aguanto el tipo. Durante dos días. Durante
dos días, vuelvo al mediodía y por la noche a casa intentando no pensar más en Alice, intento como un desesperado convencerme de que mi decisión es la buena y que a
partir de ahora ya no tengo que preocuparme porque me
he liberado de mis desvelos y que todo volverá a ser como
antes, mi mujer y mis hijos, papá y marido irreprochable, de
vuelta definitivamente al redil con mi hermosa historia que
debo guardar para mí solo y Alexandrine, afortunadamente,
que no ha sospechado nada durante todo este tiempo,
Dios qué bien hecho está el mundo. Pero, en cuanto estoy
solo en mi coche o en mi oficina, no puedo dejar de imaginar el despecho de Alice, allá, en Italia, y su sonrisa y la luz
de Romanza que ya no serán en mi memoria más que un
recuerdo evanescente. Pensando erróneamente que así no
será tan doloroso, decido guardar en mi cartera la tarjeta del
restaurante, y en mi ordenador las fotos y todas las cartas.

Mientras Alexandrine no lo sepa, no lastimo a nadie. Y además, cada uno tiene derecho a sus secretos, ¿no? Existo también para mí mismo, ¿no?

Aguanto, pues, durante dos días intentando olvidar Romanza, la sonrisa, las cartas espléndidas y a Neruda. Y luego, una mañana, en un estado de privación avanzado, con el corazón más dividido que nunca, me vengo abajo y termino enviándole a Alice un e-mail que pretende ser de ruptura pero que, por su misma existencia, dispara el mecanismo de nuevo. Un paso adelante, dos atrás, te digo. En esta carta, le explico las razones de mi decisión: todos esos años de vida en común contra una sola noche, me entiendes, dos niños, me entiendes, hasta la coronilla de mentir, me entiendes, cierto sentido de la ética y de lo razonable, me entiendes, mi afán de no volverme majara, me entiendes, mi afán de que tengamos una nueva oportunidad, Alexandrine y yo, el callejón sin salida al que estamos abocados, tú y yo, me entiendes. Pero debes saber que en ningún momento te he mentido o me he aprovechado de ti, serás para siempre mi ángel rubio italiano caído del cielo, me entiendes. Solo que, si estás de acuerdo, me gustaría que siguiéramos escribiéndonos, es de tanta ayuda para mí, esta correspondencia, me entiendes. Sigamos escribiéndonos como dos adultos que se amparan sin desamparar a nadie, ¿aceptas? Eso le digo. ¿Ves un poco el estilo del tío? Más bien sospechoso, ¿eh? No muy maduro. En cuanto a Alice, ella, siempre tan lista, me ve volver, me agradece mi delicadeza y mi franqueza, me dice que ha comprendido muy bien la situación, que me ha comprendido, que sabe de sobra que no puede pedirme nada más. Sobre el tema de una eventual reanudación de nuestra correspondencia, me previene: no puedes empezar tu nueva vida con tu mujer con una mentira. Pero, no más convencida que yo, añade inmediatamente después: las necesito tanto como tú, esas cartas, O.K., continuemos. Y entonces, forzosamente, las cosas se desmandan, de nuevo empezamos a compensar la distancia, la ausencia, la virtualidad de nuestros sentimientos con las palabras más puras. Y ahí que te van los e-mail de cinco páginas, los poemas, los SMS y las llamadas que hago a la chita callando escondido en mi coche. Los recuerdos vuelven a tener futuro y el engaño deja de asustarme de nuevo. Ahora hablamos directamente de vernos, es preciso que nos veamos, es preciso que los dos rememoremos nuestros rostros respectivos en directo, es preciso que volvamos a hacer el amor, que verifiquemos si todo aquello existió realmente, si no fue un sueño. Solo una vez, únicamente para ver qué pasa, sin segundas intenciones, sin promesas, claro, solo una semana que no nos compromete a nada, y luego decidiremos. Necesitamos un terreno neutral, al sol, lejos de Italia y no muy cerca tampoco de Tanambo. Será en las Seychelles, en febrero del año que viene. Como en varias ocasiones Alexandrine me ha sugerido con bastante deportividad, dicho sea en su favor, que tuviese alguna experiencia por ahí si eso podía consolarme por lo de Kodong —aunque al principio me pregunté si no era una forma de garantizarse a sí misma barra libre para el futuro, y, de hecho, descubrí más tarde hojeando sus libretas a escondidas que le había sugerido al mobalí que, en cuanto pudiese largarse unos días, tuviesen una cita galante, por qué no en Kenia. Así pues, como ella me lo propuso con toda claridad, yo solo tendría que elaborar una mentira a medias.

Y así transcurren los meses de septiembre y octubre: por un lado, yo que me oculto como un marido cualquiera para cartearme y hablar con Alice, con la perspectiva de las Seychelles como un faro, pero continuando sin embargo mis reñidos tratos con Alexandrine, con la tarjeta del restaurante doblada en dos en mi cartera como un salvavidas mental siempre disponible, las fotos de Alice en mi ordenata, y, por el otro, Alexandrine, de la que ya no sé más o menos nada, excepto que piensa en su mobalí cuando follamos, que pasa horas y horas viendo *Brozasound TV*, al teléfono y garabateando sus libretas, y que mi indiferencia forzada hacia ella fuera de la cama no arregla las cosas entre nosotros. En el curso de estos dos meses ha habido una o dos riñas espantosas que, como todo lo demás en esta historia, han perdido un poco de su intensidad y de su dimensión dramática con la perspectiva. Pero te las cuento de todas formas, porque, en ese momento, te lo juro, no creía que lo superaría algún día. Una noche, envío desde mi curro un SMS destinado a Alice pero que aterriza por error en el móvil de Alexandrine. ¡Sí, sí, te lo juro! Horror. Sí, claro, tienes razón, claro que huele a acto fallido a kilómetros, estoy de acuerdo. Le envío, pues, un SMS a Alice en el que he escrito, lo recuerdo muy bien: «Did you receive my SMS? Why are you afraid to lose me, my love?». Se lo envié como cada vez que le envío un SMS, con, en un rincón de mi cerebro, ese estremecimiento de horror ante la idea de que un día podría equivocarme y enviarlo inadvertidamente a Alexandrine. Y, esta vez, de hecho, es lo que ocurre. Acababa de hablar por teléfono con Alexandrine, sin transición acababa de ponerme mi máscara de Mr. Hyde, acababa justo de colgar cuando empecé a escribir el SMS y, con la voz y el nombre de Alexandrine rondando todavía en mi espíritu en el momento de enviarlo, menos de un minuto después, seleccioné mecánicamente *Alexandrine* en lugar de *Alice* en la agenda de mi teléfono y le di a *Enviar*. Porque temía más que nada en el mundo hacer una gilipollez así, porque hacer una gilipollez semejante me parecía tan inconcebible perdí mi instinto de prudencia, que en el momento en que, dos minutos después, sonó mi teléfono y escuché al otro lado la voz sin aliento de Alexandrine preguntándome si era yo el que le había enviado el mensaje, en el momento en que, a mi vez, todo mi cuerpo se veía sacudido por un electrochoque comparable al descubrimiento de la existencia del mobalí en su diario íntimo, tuve la sensación de una escena ya vivida. Nunca se me había ocurrido que podría llegar a mentir alguna vez como mentí esa noche. Al instante le respondí con un candor diabólico: «¿Pero qué mensaje? ¿De qué me hablas? Yo no te he enviado nada. ¿Acabas de recibir un mensaje mío?». Le respondí así porque tuve la suficiente presencia de ánimo para calibrar, en una décima de segundo, que sería aún más absurdo contestarle: «Sí, mi amor, soy yo el que te envió ese mensaje en inglés, te había enviado un SMS, ¿no lo recibiste? Y además quería decirte que no tienes por qué tener miedo de perderme, te amo, sabes bien que te amo, quería enviarte ese SMS para decirte mi empeño en que todo vuelva a ser como antes entre nosotros». Una pesadilla. Ella no se cree una palabra, de inmediato me cuelga en las narices. Con el corazón en apnea, verifico en mi teléfono: efectivamente, el texto le fue enviado a Alexandrine. Pienso que el mundo se ensaña, que el orden de las cosas quiere definitivamente mi pérdida. Tomo aliento, llamo deprisa y corriendo a Italia, le cuento a Alice lo más sosegadamente posible lo que acaba de pasar, le digo que soy un gilipollas, ella está fuera de sí, añado que esto no cambia nada entre nosotros, que quiero seguir con ella, le mando un beso, le prometo darle noticias pronto y cuelgo. Tengo la sensación de que el mundo acaba de desplomarse otra vez sobre mi pecho, tengo la sensación de que mi vida, estos últimos meses, es una serie de angustias desmesuradas y de apocalipsis, quisiera que mi corazón falle, ahí mismo, en el acto, y disfrutar por fin de un reposo duradero. Sin dejar de maldecirme, borro todo rastro de Alice en mi móvil, dejo todos mis informes pendientes, el ordenador encendido en mi despacho, doy un portazo sin cerrar con llave, me zambullo en mi coche y recorro a tumba abierta los dos kilómetros que me separan de casa mordiéndome los labios hasta hacerme sangre. Un minuto más tarde, estoy ante la verja de casa, ni siquiera me tomo la molestia de meter el coche en el garaje ni de apagar los faros, cruzo el patio a paso de carga, abro la puerta del comedor, encuentro a Alex anonadada en el sofá y le digo, con la expresión de un tío completamente superado, al borde de la irritación pero comprensivo a pesar de todo: «¿Pero qué pasa? ¿Qué ha pasado? ¿Qué es ese cuento de un SMS?». Durante media hora, le demuestro fríamente que no hay ninguna razón para que le envíe un SMS en inglés a quienquiera que sea, ¿dónde y cuándo, te lo pregunto, he tenido tiempo para conocer a una amante con la que hablo en inglés? ¿Dónde y cuándo? En vista de la máxima credibilidad, me atrevo incluso a jugar la carta del ataque: «Oye, comprendo tu pavor, pero, lo siento mucho, no es razón para hablarme en ese tono, yo no tengo nada que ver con eso. Me anun cias algo completamente demencial, en tu voz puedo sentir que estás trastornada, te comprendo muy bien, en tu lugar una cosa así también me habría destrozado —algo sé del tema— y tampoco hubiese podido creerte. Por eso he venido inmediatamente, para decirte que, aunque parezca completamente demencial, TE JURO, ALEX, QUE NO FUI YO EL QUE TE ENVIÓ ESE SMS». Y me paso otros diez minutos largos hablándole de los fallos frecuentes en la red de telefonía móvil de Tanambo: «Una vez incluso recibí un mensaje de Australia de un perfecto desconocido, este tipo de cosas pueden pasar, sabes». Me dice, vagamente crédula, que recibir un texto de Australia no tiene nada que ver con un texto encabezado con mi nombre como remitente. Lo admito, le digo: «No comprendo lo que ha pasado, te juro que no lo comprendo, es una historia de locos, y tenía que ser un texto de amor, tenía que tocarnos a nosotros, con todos nuestros problemas en estos momentos, parece un hecho adrede. Lo único que sé, es que no fui yo, puedes creerme, te pido que me creas, es demasiado importante». Y entonces, Alex me suelta algo que, en ese momento, me trastorna, y que hoy no sabría decirte si era sincera o no al decirlo. Me suelta: «¿Sabes lo que más me entristece de esta historia? No es contemplar la posibilidad de que le hayas enviado o no un SMS a alguien distinto a mí. Es que razonando por la vía del absurdo, es imposible que esas palabras de amor me estuviesen destinadas». Me aniquilaba también con su vulnerabilidad, Alex. Su vulnerabilidad, esa era la única llave de mi culpa. ¿Pero es que en nombre de la fragilidad de la persona que amas, debes aceptar sufrir si esa fragilidad se vuelve contra ti?

En resumidas cuentas, nunca me creerá del todo a propósito del mensaje, pero como sabe muy bien, después de tantos años, que no tengo por costumbre mentir a pesar del número de la cantante en mayo, me concede el beneficio de la duda y la cosa acaba pasando así así. Me avergüenzo, la ingenuidad de Alex me mortifica, pero esto es lo que hay, es demasiado tarde para dar marcha atrás, soy un monstruo en potencia y lo asumo, o, más bien, no me cuesta nada encontrar un montón de buenas razones para justificar mi comportamiento monstruoso. Una semana después, volvemos a las andadas: esta vez Alex me llama a la oficina con un tono de pánico cansado en la voz que me hiere por ella: acaba de encontrar entre mis papeles, en el dorso de un aviso de vencimiento de pago de la matrícula de los niños, unas frases ilegibles y sospechosas que se teme son mías. Me ordena interrumpir en el acto mi trabajo y volver a casa a dar explicaciones. Obedezco sin rechistar: re-coche, re-verja, re-patio, re-salón, re-sofá. Rostro de odio, lupa en una mano, me tiende con la otra el papel en que, evidentemente, reconozco mi letra. Identifico de inmediato lo que es, el borrador de una carta a Alice en que escribí cosas como: «Soy un tío que acepta amar solo porque no tiene el valor de decir no», y «Quisiera que me abandonase para no tener que hacerlo yo», ya ves por dónde van los tiros. Recuerdo también que la palabra «divorcio» aparece en alguna parte. Estoy de acuerdo, por supuesto, menudo acto fallido haber dejado el papel en casa. «¡Lee!» me ordena Alex inapelable. Y ahí, decido no dejarme mangonear, refunfuñar un poco. Le respondo, me pongo en plan gallito: «Yo también tengo derecho a mis secretos, y a no tener que justificarme cada vez que me lo pides. No se supone que has de leer y pedirme explicaciones sobre algo que solo me concierne a mí». Ella se incorpora en seco, me fulmina con la mirada, yo no pierdo de vista sus manos para atajar un eventual golpe, ella se ofusca, chilla: «¡Pero cómo te atreves a decirme que no! ¡Lee, te digo! ¡Lee! ¡Ahora mismo!». A ese juego, ella gana siempre, no doy la talla, leo.

Las cosas se pudren en serio, te digo. Por mi parte, aprovecho cualquiera de sus ausencias o de sus negligencias para fisgar con febrilidad enfermiza sus diarios íntimos y su móvil en busca del mobalí, y siempre lo encuentro, siempre temblando como un cornudo, siempre repitiéndome que no debería fisgonear, nunca, y al día siguiente vuelvo a las andadas con más ahínco, se convierte en una adicción malsana, cien por cien masoquista. Encuentro al hilo de las páginas descripciones de fantasías de una crudeza que me deja hecho polvo, leo en inglés la frase *Back to Blacks*, encuentro entre sus «últimas llamadas» un número de Kodong, en sus carpetas borradores de canciones destinadas a él, pruebo como un desesperado todas las combinaciones posibles en Hotmail para encontrar su contraseña, para tener la cruel confirmación de lo que ya adivino. Es difícil decir, por cierto, si quisiera que todas esas pruebas no hubiesen existido nunca porque aún sigo amando a Alex a pesar de esta atmósfera de muerte, o bien si las busco para acumular más motivos para abandonarla. También es difícil, por lo que a ella respecta, decir si es el sufrimiento que le causo lo que la lleva sistemáticamente a buscar un arrebato de vida en el mobalí, o bien si mis tejemanejes le dan por fin una excusa para dejar de amarme. En resumen, una noche de principios de noviembre, estamos en un restaurante con media docena larga de personas, incluidos nuestros hijos.

Están Luke, Zaïna, Gwénola, Rado, Laurence y no sé quién más, hay alguien sentado entre Alex y yo, no me acuerdo quién, entre nosotros dos el clima es execrable, intento mantener una apariencia de sonrisa para la galería pero no dejo de escrutar con disimulo a Alex que visiblemente anda mal, no ha dicho nada durante todo el aperitivo, está tensa y sus ojos permanecen concentrados en el vacío. La camarera le toma nota a todo el mundo, Alex se levanta, va al baño, vuelve dos o tres minutos más tarde mirándome fijamente con un rictus terrible. Se sienta, se echa hacia atrás en su silla, me hace una seña, me inclino también, acercamos las cabezas: «Lo sé», me susurra por encima del hombro de la persona que está entre nosotros con una sonrisa nerviosa. «¿Qué es lo que sabes?», replico. «Sé que tienes a alguien, tengo pruebas.» Re-corazón que bate, re-acceso de sudores fríos, re-angustia que crece, re-calma forzada, pero no tan intensa a pesar de todo: uno termina acostumbrándose a las emociones fuertes. Los demás siguen hablando pero se han desvanecido en el decorado, ya solo estamos Alex y yo en el restaurante: «¿Qué me estás contando? ¿Qué pruebas? ¿Pruebas de qué?». «Sabes muy bien de lo que hablo.» Durante tres, cuatro minutos, intento ganar tiempo, pruebo todas las fórmulas, todos los regates, todas las artimañas, todas las palabras, pero siento que, esta vez, no podré escapar. Y, de hecho, al cabo de un instante, me pide lo que desde hacía mucho tiempo temía por encima de todo que me pidiese y por lo que todas las noches daba gracias al cielo de que aún no se le hubiese ocurrido pedírmelo: «Anda, jura sobre la cabeza de los niños que no hay nadie». Mi corazón se detiene, la miro un segundo en silencio con ese respeto profundo que se puede sentir por tu peor enemigo justo antes de la batalla decisiva. Juego limpio a mi vez, confieso. Estoy aterrorizado pero, en el fondo, debo reconocerlo, aliviado. Creo incluso que no puedo reprimir una sonrisa al evocar a Alice, igual que Alex no pudo reprimir una sonrisa en las mismas circunstancias al evocar al mobalí. Confieso y su rostro acusa el mismo impacto que seis meses antes, la tarde que la abandonaba por la cantante, pero una pizca menos violento a pesar de todo: ella también ha terminado por acostumbrarse a lo insoportable. Tengo la sensación de que estamos malditos, que la vida es un ciclo sin fin, un círculo vicioso.

Por supuesto, la cosa no termina ahí, eso es solo el principio. Como si estuviese madurando un contraataque, me hace de inmediato dos o tres preguntas precisas, sin pedirme más detalles: «¿Cómo se llama?». «¿Qué edad tiene?» «¿Tiene pechos grandes?» «¿Es delgada?» «¿Cuántas veces hicisteis el amor?» «¿Te la chupó?» «¿Le dijiste *Te amo*?» Entre tanto, la camarera ha dejado los platos en la mesa. Respondo a cada una de las preguntas que Alex me ha hecho, luego, en un momento dado, ella se levanta bruscamente sin haber tocado su filete de pescado aún humeante, educadamente dice buenas noches, nadie se atreve a extrañarse abiertamente por su marcha precipitada, sale, todos los ojos se vuelven hacia mí de inmediato, todo el mundo está un poco bajo el efecto del impacto pero hacen el esfuerzo de no entrometerse en lo que no le importa a nadie más que a nosotros. Es increíble el tacto que puede tener la gente, pensándolo bien. Yo me estoy cayendo a pedazos pero me esfuerzo a pesar de todo y le dedico mi mejor sonrisa a mis hijos llamándolos «mis amorcitos adorados», intento recobrar el aliento y el ánimo pero ya no pretendo poner buena cara ante los adultos hasta tal punto la gravedad de la situación es objetiva y me desgarra, hasta tal punto la catástrofe por venir es inevitable. Decido, pues, seguir en mi sitio, no correr detrás de Alex, no temblar demasiado pensando que puede hacer una gilipollez esta noche. Después de todo, teníamos que llegar a esto, es la oportunidad o nunca de acabar de una vez con la pesadilla. Pruebo mi plato sin hambre, le sonrío con regularidad y un tanto exageradamente a mis hijos, su inocencia me parece irreal en medio de semejante terremoto, les pido un postre, asumo un servicio muy restringido de conversación con los demás y luego, en cuanto los niños terminan su postre, me despido educadamente disculpándome y sin necesidad de precisar que se trata de un caso de fuerza mayor, leo en los ojos de todo el mundo un cóctel insoluble de interrogación, impotencia, compasión y respeto, tomo a los niños de la mano, un último vistazo angustiado al filete de pescado de Alex intacto y hostil en el plato, adiós, adiós, aparcamiento, coche, casa. Gracias a Dios, encuentro a Alexandrine en el sempiterno sofá. Su expresión es grave y preocupada, pero está tranquila. Uno y otro, nos preparamos para la escena final. «Dame un segundo, el tiempo de que los niños se laven los dientes y los acueste, y estoy contigo», le digo, con la misma tranquilidad, sabiendo que voy a anunciarle, por segunda vez este año, por segunda vez a secas en todos estos años de nuestra vida de pareja, que voy a dejarla. Una vez acostados los niños, vuelvo y me siento de nuevo en el mismo sillón que seis meses antes, en la misma postura, frente a Alexandrine sentada en el sofá. Debe de ser más o menos la misma hora y nuestra conversación empieza también en el mismo tono. Pronto averiguo, principalmente, que las «pruebas» que ella evocaba en el restaurante son obra de la indiscreción de Christian, a quien me había confiado, y que me ha traicionado. De locos, ¿verdad? Resumiendo. Seis meses antes, yo me derrumbé al cabo de veinte minutos. Esta vez, resisto hasta el amanecer en este plan: «¿Es verdad que me dejas?». «Sí, te dejo.» «¿Ya no me amas?» «No es eso, pero esto se ha vuelto insoportable. No hay más remedio.» «¿La amas?» «No lo sé.» «¿Quieres verla de nuevo?» «Sí.» «¿Quieres volver a hacer el amor con ella?» «Sí.» «¿Qué tiene ella que no tenga yo?» «Escucha, ese no es el problema.» «Respóndeme: ¿qué tiene ella que no tenga yo?» «Es dulce, no me agrede y no me humilla. Me hace sentirme bien.» «¿Tú eres dulce, tú no me agredes, tú no me humillas y tú me haces sentirme bien, tú?» «Ves cómo no somos capaces de entendernos. Nunca nos entenderemos.» «De modo que, esta vez, me abandonas realmente, ¿es eso, no?», etc. Digo *hasta el amanecer* porque, a eso de las siete y media de la mañana, ese domingo lluvioso, al cabo de la enésima noche en blanco agotadora de retóricas diversas, de argumentaciones, de descripciones exhaustivas, de justificaciones, de explicaciones y de conversaciones más o menos tranquilas pero interminables y sin salida, Alex, que me preguntaba por quincuagésima vez: «¿Estás seguro de que quieres dejarme? ¿Realmente es eso lo que quieres? ¿Es Alice a quien quieres?», Alex se desplomó bruscamente a lo largo de la pared, sobre el suelo de la cocina, y empezó a llorar sobre sus rodillas como una niñita de cuatro años y a implorarme, con sus ojos, sus mejillas, su nariz y su boca llenas de lágrimas: «¿Pero por qué no me quieres? ¿Por qué? ¿Qué he hecho para que no me ames?» Y yo, al verla tan vulnerable y tan sola, comprendiendo de sobra que esa desesperación venía de muy lejos, que era muy anterior a mí, muy anterior a todos estos años juntos, comprendiendo que no era a mí a quien se dirigía preferentemente al igual que había comprendido muy bien que no era mi cara la que había lacerado con preferencia con el cable en el cuarto de baño seis meses antes, me dije que no tenía derecho a abandonarla, que era inhumano abandonar a alguien tan desamparado, que una soledad y una fragilidad semejantes no tenían precio, ni siquiera el de mi propia búsqueda de la felicidad, búsqueda de la felicidad de cuya legitimidad, ante tanto sufrimiento, incluso acababa por dudar. Eso sí es un dilema de verdad, por cierto: *¿Tienes derecho, para salvar egoístamente tu piel, a abandonar al que o a la que has amado hasta la muerte? ¿Tienes derecho a dejar tirado al otro, cuando no está tan bien como tú, cuando es más vulnerable que tú y está tácitamente establecido entre vosotros que su muy frágil equilibrio depende de tu decisión o no de quedarte?* ¿No? Crees que soy demasiado presuntuoso, ¿verdad? De modo que tomé sus manos entre las mías explicándole con dulzura, también por quincuagésima vez: «Óyeme, si quiero dejarte, no es tanto porque ya no te amo o porque quiero reemplazarte por Alice sino porque, después de la pesadilla que acabamos de vivir tú y yo, volver a estar juntos me parece una locura, hemos ido demasiado lejos. Y, admitiendo que yo estuviese dispuesto a empezar de nuevo ahora sobre bases sólidas —me conozco, puedo hacerlo perfectamente, puedo hacer ese esfuerzo—, estoy convencido de que tú, tú te dedicarías a cobrarme lo de Alice y lo de la cantante. Y para eso, francamente, ya no tengo ánimo, no quiero, basta de infierno». Alex me mira a través de sus lágrimas y me dice: «Si te garantizo que eso no pasará, ¿me

juras que nunca más tendrás el menor contacto con Alice?».
Hago una pausa. Esa solución me desespera pero, en el
fondo, ciertamente debe de ser la mejor y la que mejor se
adapta a mí. Seamos razonables: lo único que deseo en la
vida, yo, es librarme por fin de esta pesadilla, por encima
de todo no complicarle la vida a mis hijos, criarlos con su
mamá, ir de vacaciones con mis hijos y su mamá, envejecer
con su mamá y, hasta que alcance cierta edad, pasarlo bien
con ella para, al caer la noche, follarla sin esta angustia en
el bajo vientre. Le sonrío: «Sí, te lo juro. ¿Pero estás segura
de ti misma? ¿Estás segura de que puedes garantizarme algo
así? ¿Te sientes capaz?». Ella me responde que sí. Entonces
yo, yo le sonrío, voy a mi cuarto para buscar mi móvil y, llorando lágrimas de sangre pero aparentando toda la convicción del mundo ante Alex, para probarle de nuevo que haré
cualquier cosa para ganar su confianza, escribo el siguiente mensaje para Alice: «Please never write or telephone me
again. Never. It's been a beautiful story between you and
me but I love my wife. I'm sorry». Le enseño el texto a Alex,
le digo: «Fíjate bien en lo que voy a hacer. Voy a enviarle
este mensaje a Alice porque quiero vivir de nuevo contigo,
porque eres la mujer de mi vida, porque la única vida que
puedo concebir es contigo, porque te amo y porque quiero
profundamente que todo vuelva a ser como antes. ¿Vale?».
Ella me dice vale y añade, reprobadora: «¿Pero por qué has
escrito *I'm sorry?* No hacía falta que te disculparas». Me
atrevo a responderle que es una cuestión de compostura,
que el SMS ya me parece bastante violento así, que no hay
por qué empeorarlo, y presiono la tecla de *Enviar* intentando sobre todo no pensar en el dolor que le voy a causar
a Alice, ni en mi propio dolor, ni en mi renuncia a la luz

evidente y a la ligereza. Una vez enviado el mensaje, hago acopio de todas mis fuerzas para olvidarlo todo de golpe, exhibo mi mejor sonrisa, mi más hermoso entusiasmo por Alex y la levanto en mis brazos diciéndole que la amo, que nunca he amado a nadie más que a ella y solo a ella. Totalmente aturdida y totalmente desorientada, Alex intenta sonreír también. Unos minutos más tarde, recibo un mensaje. Aprieto los dientes, listo para el trance más penoso. Es un mensaje de ira y de insultos de Alice. Apenas si tengo tiempo de leer las palabras «Fuck you», «Bastardo» y «Sei una merda», no quiero verlo, no quiero leer el resto, es demasiado duro, lo borro todo, quisiera morirme, Romanza y Neruda ya no tienen sentido, adiós las sonrisas, adiós la luz, adiós Italia, adiós las Seychelles, adiós febrero, he perdido mi único remanso de paz, me he suicidado yo solito. Le transmito la información a Alex que saborea fríamente su victoria. Para celebrar el final de la pesadilla, la llevo a su cuarto, nos abrazamos en su cama en una absoluta confusión emocional, no obtenemos ningún placer pero no nos lo decimos, es demasiado pronto, demasiado precipitado, no era el momento. «Estas triste, ¿eh?», me suelta, irónica. «Dilo, estás triste, reconócelo.» Ninguno de los dos se figura que es la última vez que acabamos de hacer el amor.

El domingo se consume trabajosamente bajo la lluvia, Alex y yo nos dormimos en la misma cama, me gustaría hacer el amor otra vez para soltar esta tensión que me sofoca pero, al mirar a Alex inerte y con los ojos perdidos en la pared, siento que no vale la pena ni es el momento de siquiera pensarlo. Al día siguiente por la mañana, mientras estamos los dos lavándonos los dientes sobre el lavabo, Alex se interrumpe, escupe la pasta y me dice con aire desafiante:

«Bueno, y ahora, ¿a qué jugamos? ¿Somos fieles al cien por cien, o bien cada uno conduce discretamente su vida sexual por su cuenta, con el acuerdo tácito del otro y sin que eso cambie en nada la relación de pareja?». La precisión de los términos de su pregunta me deja helado: me parece que ha expresado claramente su preferencia. En cuanto a mí, el sufrimiento del cornudo, nunca más. Para obligarla a decir que no, claro, que ni pensar en que me engañe de nuevo, que su pregunta no era más que pura retórica, sorteo el obstáculo: «Con esta pregunta, ¿qué buscas, tú?». Ella me responde tajante: «Soy yo la que hice la pregunta, ¿no? ¿Y bien?». Sin vacilación, le digo que quiero una fidelidad sin fisuras y la confianza de nuevo. Me dice que vale, gira la cabeza y vuelve a su cepillo de dientes: mi respuesta la ha decepcionado, esperaba mi consentimiento para una vida de libertinaje, pero no se atreve a decírmelo. Esa mañana vuelvo al curro intentando considerar lo más positivamente posible este desastroso principio de semana. En el trayecto, mi móvil no deja de sonar: es Alice que intenta localizarme como una desesperada. Llama cinco, diez, quince veces, yo corto sistemáticamente la llamada. Pero me gustaría tanto responder, explicarle, disculparme, hacerle entender que no tenía elección. Querría reparar la violencia de mi mensaje, terminar las cosas limpiamente por una vez, a la medida de la felicidad que Alice me dio, pero Alex me obligó a jurar una vez más, la víspera, justo antes de dormirme, que no le daría señales de vida, ningún contacto, ni una palabra, nada, y no quiero empezar, según palabras de la propia Alice, este enésimo intento con una enésima mentira. Y sin embargo, no me gustó demasiado el tono de Alex, había un insidioso asomo de amenaza. No se lo mencioné para no tener más líos, objetivamente ella es mano de nuevo en materia de sufrimiento e intimidación, me pregunto si su buena voluntad no estará empezando ya a avinagrarse. Me siento cobarde y mediocre, sin salida de emergencia, creo que no soy un hombre, creo que no merezco a ninguna mujer y que Alice y Alex tienen razón: soy una mierda. Al vigésimo intento de Alice, aparco el coche junto a una acera, contesto la llamada. Alice llora a lágrima viva, yo también, me grita que la escuche, le grito que me deje hablar, le grito que no tengo derecho a hablarle, que no podía hacer otra cosa, que no quería ver a mi mujer rota de dolor ante mis ojos, que ya no vivo, que tengo que colgar, entonces cuelgo, después, como un vulgar marido y un vulgar amante de mierda, cojo el volante y arranco, con el corazón como un guisante.

Dos, tres días más tarde, cuando me dispongo a volver al curro después de mi siesta, Alex me ordena que la lleve conmigo: quiere ver las fotos de Alice y las cartas que nos hemos intercambiado por e-mail. Percibo esta exigencia como una expropiación violenta de los últimos jirones de mi sueño, me digo que ella nunca dejará de querer aniquilarme pero, como de costumbre, le digo que sí. Pienso: «Pero es que ni por un segundo se pregunta, la muy gilipollas, si tengo trabajo». Pienso: «Guarra, puta», pero digo: «Vale, adelante». Añado simplemente: «Pero te advierto que no verás gran cosa, no queda prácticamente nada en mi ordenador. Destruía todas sus cartas y todas las mías a medida que llegaban porque sabía que algún día podrías llegar por sorpresa». Como tampoco soy gilipollas del todo, hacía tiempo que había previsto la jugada, conozco a Alex. Salvo que no he tirado nada. Toda mi correspondencia con Alice

la ordené y escondí cuidadosamente en un archivo camu-
flado. En cuanto a las fotos, aunque efectivamente no me
gusta nada la forma que tiene Alex de pedírmelas, en el
fondo siento como una pequeña venganza compensatoria
ante la idea de que descubrirá que Alice es muy hermosa y
que sufrirá por ello. Llegamos, pues, a mi oficina, ella se
apodera autoritariamente de una silla que pega a la mía, me
ordena que encienda la pantalla. Afortunadamente, Alex
no está acostumbrada a manejar un ordenador. Me dice
con una ingenuidad casi conmovedora: «Enséñamelo todo,
quiero comprobar todos los expedientes». Evito cuidadosamente decirle que tengo trabajo, le digo que eso nos llevará
cuatro horas pero que vale, si es lo que ella quiere, allá vamos. El archivo de mi correspondencia con Alice son casi
setenta páginas y está escondido bajo un nombre falso en
una carpeta del tipo *Archivos balances asambleas generales*. Procedo metódicamente, me paso un montón, pierdo
un tiempo descomunal, ella se impacienta, termina diciéndome que lo olvide, no se ha enterado de nada. Completamente superada, esta vez me pide, siempre en el mismo
tono sin derecho a réplica, que le enseñe las fotos. Voy derecho al archivo preciso, ella descubre a Alice en traje de
baño en México, Alice en Grecia, Alice bajo los techos rojos
de Romanza, Alice en bicicleta, Alice en Vespa, Alice pro-
bándose ropa. Disimulo mi orgullo, saboreo mi revancha.
Pero, al mismo tiempo, estoy hundido, he perdido a un ángel. «Es muy bonita», admite Alex en un tono muy extraño, entre el odio y la fascinación. Durante un cuarto de segundo, la imagen completamente descabellada de Alex
devorando el conejo de Alice me pasa por la cabeza. Deben de ser los nervios. Añade de inmediato, casi con natu-

ralidad: «Os parecéis mucho. Se diría que sois hermanos». Luego, tras haber observado largamente las fotos en silencio, me dice: «Bueno, ahora las echas todas a la papelera. Todas. Y destruyes también el contenido de la papelera». Obedezco con tanta más facilidad cuanto que domino perfectamente el procedimiento de recuperar los archivos suprimidos. Intento disimular lo más eficazmente posible mi impotencia y mi nerviosismo, hago las cosas con calma, como diciendo: «Ves, no tengo nada que ocultar, soy legal. Si quieres pedirme algo más, sobre todo no te cortes». Interiormente, solo deseo una cosa: que Alex se largue por fin y me deje tranquilo con mi tristeza, mi desesperación y mi vergüenza, que me deje el espacio y el tiempo para reordenar mis ideas y empezar por fin a currar, al menos eso. Pero, cuando creo que se ha terminado, ella encadena fríamente, perfectamente consciente y satisfecha de la tortura a la que me somete: «Ahora, tu cuenta de correo». Abro mi cuenta, también vaciada unos días antes. Queda una sola carta de Alice, la última que me escribió, cuando yo todavía no era un mierda, cuando era el rey de Italia y del sol. Alex se acerca atentamente a la pantalla. La carta está escrita en italiano. «Ahora, traduce», ordena. «Y ni se te ocurra saltarte una línea, te vigilo.» En este mail, afortunadamente, no hay ninguna mención a Alex ni a cualquier otra cosa susceptible de hacerle redoblar su odio hacia mí. Alice me habla esencialmente de ella. Pero, en el último párrafo, me dice que le gustaría que yo estuviese echado desnudo a su lado en una cama, que nos tomásemos el tiempo uno y otro y dejásemos que el deseo creciera al máximo en nosotros solo con palabras y miradas, que reprimiéramos cualquier intento explícito hasta que realmente ya no fuésemos capaces de contenernos. Ella añade que por encima de todo querría verme desfallecer de deseo, que la tomara apasionadamente y que hiciera con ella lo que quisiera. «¡Zas! ¡De lleno en los dientes!», no puedo dejar de pensarlo a propósito de Alex que estuvo a punto de emascularme, en sentido psicológico y literal del término. Este pasaje, se lo traduzco con un falso aire de incomodidad, tipo: «Lo siento, hubiese preferido que no te tocase esto. Pero tú solita te has metido en la boca del lobo». Al final de la carta, me digo: «Bueno, ya está, se terminó, por fin voy a poder respirar, ahora se largará, la muy zorra». ¡Qué te crees tú eso! Me dice, sadiquísima, la perra, me dice: «Ahora vas a copiarme la dirección de su e-mail en un pedazo de papel y dármela». Ahí, se ha pasado, me permito a pesar de todo responderle con mi vocecita de mierda, intentar oponerme: «Ah no, eso no, me niego, ¡debemos parar o de lo contrario nunca conseguiremos acabar con esto! Tenemos que decidir dejar de destrozarnos, tenemos que volver a empezar sobre una buena base, tal como lo hablamos el domingo, debemos pasar a otra cosa, no quiero». Ella abre mucho los ojos con expresión escandalizada, me mira con ojos terribles, los frunce de odio, me mira de arriba abajo, deforma su boca como si fuera a escupirme: «¡Qué! ¿*Te* permites decirme a *mí* lo que debe*mos* hacer? ¿Te atreves a negarme a *mí* lo que te pido? ¿Crees que estás en posición de negarme algo? ¿Estás mal de la cabeza o qué? Dame la dirección, ¡y rápido!». «No.» Miro de nuevo sus manos pensando que se le va a escapar un golpe, pero se limita a maldecirme con la mirada tipo: «Espera y verás». Rabiosa, me arranca con fuerza el ratón de las manos y torpemente hace desfilar la pantalla hacia lo alto de la página. Luego suelta el ratón, coge un boli y copia ella misma la dirección de Alice con ostentación vengativa. Ahí ya, el pánico me invade abiertamente: «¿Por qué lo haces? ¿Qué vas a hacer con esa dirección? ¿Qué vas a decirle? Dímelo, ¡te lo suplico!». Un poco más y me pongo a lloriquear. Un auténtico calzonazos, un auténtico mierda, te lo juro, no hay otra palabra. «No te preocupes, me responde con una sonrisa de alimaña, no voy a escribirle. Solo quería hacer una prueba y ver si me la dabas tú mismo.» Entonces, coge su bolso, se larga, y yo, yo me siento mentalmente hecho polvo, aliviado y más mediocre que nunca.

¿Por qué dejo que me trate así? ¿Por qué dejo siempre que me trate así? Buena pregunta. No tengo ni idea. Estaba aterrorizado y creía estar obrando bien, como siempre. Siempre he creído que no enfrentándome, que haciéndome a un lado y dándole jabón —¡es una forma de hablar!—, evitaría problemas y sería recompensado con amabilidad y amor, es todo lo que te puedo decir conscientemente. Pero que puede haber una patología más profunda, un sentido oculto en esta debilidad crónica, una historia con la infancia y la culpabilidad, seguramente, no te digo que no. Pero no eres mi psicólogo y no será esta noche cuando vamos a solucionar el problema. En cualquier caso, tal vez experimenté algo parecido, salvando las distancias, claro, al problema de esas mujeres maltratadas que nunca se deciden a abandonar a su hombre. Desde fuera, se tiende a pensar: «¡Pero están locas! ¿Por qué siguen con él?». Yo, hoy, puedo responder: se puede ser el rigor de las desdichas, se puede sufrir como un animal y no aceptarlo ante ti mismo con la suficiente fuerza. Se puede permanecer en la eterna esperanza de que algún día lo recibiremos, el amor. Podemos obcecarnos durante años así, rechazando considerar la evidencia. Y contentarse con unas migajas diciendo gracias. Puedes amar a tu verdugo, como suele decirse. Aunque también hubo momentos buenos, por supuesto, muchos momentos muy buenos también, muchos momentos llenos de complicidad a lo largo de todos esos años con Alex, tampoco hay que ser injusto. Porque hoy, lo reconozco, tengo mucha tendencia a recordar solo las partes malas de toda esta historia, aún es un poco pronto para la objetividad. En cualquier caso, si no te importa, te ahorraré la pregunta: *no*, no me gusta eso, *no*, no me gusta sufrir, *no*, no me gusta que me laceren la cara a golpes de cable, *sí*, me gusta la dulzura y la paz, en dos palabras, *no*, no soy masoca.

Así pues, Alex me dice que no utilizará la dirección. Pero no me hago ilusiones, desconfío y con razón. Apenas al día siguiente, por la tarde, aparece de improviso en mi oficina, interrumpe mi trabajo y, sin pedirme mi opinión, me ordena que me aparte del ordenador diciéndome que va a escribirle delante de mí una carta a Alice para ponerla en su sitio, que me la dejará leer y que se la enviaremos juntos. Y, durante casi hora y media, con una concentración extrema, casi eufórica, con mi impotencia de vulgar marido y de vulgar amante mediocre por testigo, ella perfila, retoca sus frases, mueve las palabras, busca el giro más eficaz en inglés. Al final, el resultado es una carta falsamente despreocupada y falsamente magnánima, llena de una acidez sorda y venenosa de hembra. En ella, Alex asigna los papeles: yo, yo soy el niño pequeño perdido, caprichoso e inconsecuente que necesita una buena zurra pero al que su mamá quiere a pesar de todo. Alice, por su parte, se puso a jugar por su cuenta y riesgo en el patio de los grandes. «Bonita mía, no te metas con hombres casados, su corazón es inconquistable. Lo mejor es que te dediques a los chicos de tu edad», le escribe resueltamente. Alex, por supuesto, es la esposa engañada, pero digna. Está tan satisfecha con su carta que se ha olvidado de odiarme a lo largo de toda esa hora y media. Antes de enviarla, incluso me pide mi opinión. Entonces, yo, como buen cobarde, como buen ingenuo mediocre que piensa por centésima vez que, esta vez sí, ha recuperado a su mujer definitivamente, me lanzo de cabeza y le digo: «Sí, sí, está muy bien, puedes enviarla así, creo que entenderá». Puede que nunca me haya sentido tan poca cosa: humillado por mi mujer que me maneja como a un Playmobil, apuesta irrisoria de una lucha entre dos mujeres que ya me desprecian, ni siquiera digno de ser odiado con clase, con consideración, en dos palabras, un cobarde, un mierda, te digo. Ya no cuento para nada, simplemente. Ahora se trata de una batalla entre mujeres, el único tipo de confrontación que ellas temen y respetan, perdóname este rasgo de misoginia primaria, pero es verdad, ¿no? Por cierto, la respuesta de Alice no tarda en llegar, muy refinada también, herida, furiosa, violenta. Al día siguiente, tras pasar por un cibercafé, Alex me la trae impresa en una hoja: «En primer lugar, no soy tu bonita. Y además, un tío completamente loco como el tuyo, yo, no, gracias, no lo quiero, quédatelo, sus problemas, te los dejo». La jugada de Alex ha sido perfecta: me ha humillado y al mismo tiempo ha logrado que Alice se asqueara definitivamente de mí. Quiero morirme. Creo que acabo de envejecer diez años de golpe y que no hay nada que pueda hacer, que la vida tiene algo contra mí, que no debo de estar hecho para la felicidad y que, si no muero de pena o de locura de aquí a fin de año, acabaré amargado, frustrado, malvado, seco y feo. De la carta de Alice, retuve una frasecita sibilina y perversa que me dejó literalmente helado, aunque tengo la impresión de que Alexandrine, que sin embargo está tan atenta a cada una de las palabras de Alice como a las suyas, no ha medido el alcance: «Pareces muy segura de ti misma. Algún día, tal vez, te enviaré las cartas que me ha escrito». Cuando, ante su insistencia, durante nuestra conversación aquel sábado por la noche, le mencioné a Alex mis cartas a Alice, minimicé considerablemente su contenido. Imagino muy bien a qué se refiere Alice en esta frase. En mi necesidad de confiarme, le dije cosas de mi relación con Alex que nunca antes le había dicho a nadie. No hace falta que te dé más detalles, pero se trata de cosas bastante personales, de un enfoque crítico de su psicología y, sobre todo, en ellas le decía sin comedimiento a Alice lo sofocante que es para mí esta relación, lo encarcelado que me siento, lo responsable que me siento en todos los sentidos del término, lo agotadora que es para mis nervios y cómo, desde hace mucho tiempo, soy incapaz de reunir el valor para gritarle todo esto a Alex porque sé que la mataría que yo le dijese lo que ella ya sabe pero que yo no debo bajo ningún pretexto formular. Alex, en su larga carta de respuesta, se contenta con un: «Anda, envíame las cartas, no se me ocurre qué podría averiguar que no sepa ya, pero envíalas si así te quedas más tranquila». Ella no parece demasiado intrigada por la existencia de esas cartas, pero si Alice se las manda, estoy muerto. Paso los dos días siguientes en la angustia absoluta de que, por venganza, Alice cumpla su amenaza. En esos días, pienso que las mujeres son terribles, me siento minúsculo y hago mía esa famosa cita de no sé quién: «No he tenido la suerte de ser marica». Pero nada ocurre, el episodio parece terminado. Ni pensar, evidentemente, en escribirle a Alice a escondidas y suplicarle en nombre de nuestra hermosa historia que por lo que más quiera no envíe esas cartas, eso ya sería el colmo de la mediocridad. La tercera noche, estando en el sofá viendo un DVD con Alex —*Solaris*, creo—, al rato de película ella coge el mando a distancia, presiona bruscamente la tecla de pausa, se vuelve hacia mí y me dice, mirándome fijamente a los ojos, como poseída a destiempo por una revelación: «¿Qué le dijiste exactamente a Alice en tus cartas? Estoy segura de que le hablaste mal de mí. ¿Le hablaste de mí? ¿Eh? ¿A qué esperas para contestarme? ¿Qué le dijiste? Vas a decirme lo que le dijiste, y ahora mismo». Tiemblo, suspiro, sudo, me vuelvo hacia Alex: tengo la sensación de que mi vida se ha vuelto un tren fantasma sin escalas. El resultado es otra noche homérica en que, después de tirarme de la lengua bajo amenazas —yo no tenía elección, estaba atrapado, pensaba que forzosamente terminaría conociendo la verdad sobre esas cartas—, Alex hecha pestes, chilla, me insulta, rompe, pero no me pega.

Después de este episodio, los días de noviembre pasan mal que bien. La perspectiva de las Navidades en Francia con los niños es siniestra: Alex ha vuelto a su cuarto, a sus libretas, a su teléfono y a sus miradas fulminantes desde hace tiempo, ha confiscado mis diarios íntimos, y yo, yo trago pensando sin cesar en Alice. Contrariamente a la cantante, es imposible olvidarla. Soy mortalmente desdichado. Siguiendo los consejos de Luke, he quemado la tarjeta del restaurante y eliminado de verdad todas sus cartas y todas sus fotos de mi ordenador para hacer, ante mí mismo, un gesto claro de buena voluntad. Ahora ya no veo los partidos del equipo de Monte en Eurosport, pero no hay nada que hacer, me duele Italia, me duelen todos los países latinos, me duele el aceite de oliva, me duele la salsa, me duelen las sandalias negras talla 37-38, me duele el mar, me duele el verano, me duelen las cigarras, me duelen los cipreses. La idea de haber perdido a Alice me mina cada vez más, mucho más que pensar en la imagen que ahora puede tener de mí. A pesar del giro lamentable de los acontecimientos, a pesar de su reacción herida pero perversa, a pesar de la labor de zapa de Alexandrine tanto contra Alice como contra mí, ella sigue evocándome la paz, la felicidad, la simplicidad, el equilibrio. Tengo la misma sensación que el día de nuestro adiós en la plazoleta de Romanza, cuando, contra toda evidencia, la idea de no volver a vernos nunca más parecía descabellada. La evidencia, es que ella me atrae, ella me *atrae* en la acepción literal del término, según una ley física fundamental, me atrae por encima de todas mis razones equivocadas para verme atraído por ella, me atrae por lo que es. Quiero decir con esto que ella no es solo mi ángel de Romanza, sino alguien sensible y atento con quien podría suceder algo bonito. Y, apartando cualquier consideración mística, sé que una fuerza, una especie de voz en mí que es la voz de la razón, o del instinto de conservación o de supervivencia, o la de la esperanza y la renovación, no sé cómo definirla, en resumen, sí sé que algo, que un sentimiento claro y positivo me impone acercarme a ella y que esta idea cada vez me atemoriza menos. Poco a poco, la necesidad que tengo de reafirmarle mi obsesión por ella se vuelve más fuerte que la prohibición aterradora de Alexandrine. Es el hecho de hundirme día a día en una desesperación irreversible lo que me hace, paradójicamente, recuperar la confianza en mí mismo. Una mañana, pues, saco fuerzas de flaqueza y le envío muerto de miedo un mail en que le hablo de la promesa que le hice a mi mujer de no volver a escribirle, de mi necesidad de disculparme con ella, de lo mucho que la respeto a pesar de mi bajeza y de todos nuestros buenos recuerdos que no quería arruinar como los he arruinado. Ella me responde al día siguiente que le he hecho daño, que intenta olvidarme, que le gustaría volver a llevar una vida normal, y me advierte que, si empiezo a escribirle otra vez, se lo dirá a mi mujer, que lo siente mucho pero que tiene muy claro que ese es el único modo de impedírmelo. Termina su carta con un poema sentimental bastante pesimista de Nazim Hikmet —¿te suena Nazim Hikmet?—. Y, lo más loco, es que, esa misma noche, te lo juro, esa misma noche, a golpe de dos, tres de la madrugada, Alex aparece de pronto en mi cuarto y me arranca sin miramientos de mi sueño. En sus ojos hay una mezcla de pánico, ira e intuición profunda, casi sobrenatural. Me dice: «Júrame que no has vuelto a ponerte en contacto con ella desde tu SMS. Júramelo ahora mismo sobre la cabeza de los niños». Le digo: «¿Para eso me despiertas?», juro como un impío sobre la cabeza de los niños, ella se marcha y yo me duermo, demasiado asqueado de todo y demasiado sacudido emocionalmente desde hace mucho tiempo como para asustarme o sentir todavía el más mínimo temor.

A partir de entonces, privado definitivamente de Alice, la imagen del mobalí vuelve con fuerza. Y en cuanto a saber si sí o si no ella está en contacto con él, Alex mantiene perfectamente el misterio. Me confiesa con toda su calma que acabó llamándolo, que le dijo que estaba enamorada de él y que estaba loca por su cuerpo, que intercambiaron algunos e-mail. He perdido tres kilos, no duermo, mi mujer ya no quiere follar conmigo, el perfume *Chance* de Chanel que se compró allí y que él olió antes que yo en su piel me parece el colmo de la ironía y de la tortura, ya no me río, se acabó el tipo sonriente y superficial a quien se le podían calcular veintisiete años como mucho, tengo una cara de adulto como la de los demás, llena de preocupaciones. Le digo a Alex que sigo sin poder archivar el asunto Kodong, y, contra todo pronóstico, por mi bien o por su perverso goce personal, no lo sé, ella me dice un día, casi con amabilidad: «Oye, si eso puede aliviarte, si puede ayudarte, no tienes más que escribirle, te doy la dirección de su correo, si quieres». En el fondo, creo que no tengo ningunas ganas de escribirle a ese tío. Pero como en esta historia imito a Alex paso a paso, igual que un niño imita a su mamá, no me hago la pregunta de si tengo o no ganas, su proposición es forzosamente la mejor, como de costumbre. Y además, me brinda una excelente oportunidad para vengarme como quien no quiere la cosa, para desmitificar por fin al tío ese, para ponerlo de nuevo en su sitio de ser humano, para reemplazar mi miedo irracional por palabras concretas. Le escribo, pues, un mail muy respetuoso, muy autocrítico pero, en el fondo, bastante calculador. En líneas generales, le digo Hola, si mi mujer te ha elegido, es porque seguramente eres un tío legal. Le hice daño, ella estaba desesperada, el saqueador de la pareja, soy yo, no tú, no nos conocemos, Alex es una chica estupenda, le has hecho mucho bien, no tengo ninguna razón para guardarte rencor. Sencillamente, sea lo que fuere lo que habéis planeado juntos, sean cuales fueren los sentimientos de uno por el otro, quiero que sepas que la amo más que a nada en el mundo. Voluntariamente, envío el mail sin dárselo a leer a Alex, que no deja de reprochármelo. Este intercambio entre el marido y el amante la excita y preocupa a la vez, comprendo finalmente que lo que quiere, mucho más que una prueba auténtica de mi buena voluntad y de mis sentimientos hacia ella, es saber a través de mí si el tipo, él, la ama de verdad. Me responde al día siguiente algo así como Hola, nice to get news from you, no tengo la menor intención de inmiscuirme entre tú y Alex y te doy mi palabra de que, de ahora en adelante, solo la consideraré como una buena amiga. Alex, que, la víspera, no sabía muy bien cómo reaccionar ante mi carta, comprende, esta vez sí, que acaba de perder al mobalí. Me doy perfecta cuenta de que está triste y decepcionada, disimula como puede su decepción, me pone caras largas. «¿Por qué le dijiste eso?», me pregunta simplemente. No se atreve a añadir: «Ahora lo he perdido. ¿Estás contento? ¿Ya tienes lo que querías?»

Otro día, agotados todos mis recursos, dispuesto a probar cualquier cosa para aliviar ese caos de sufrimiento, conozco por casualidad a un reikista suizo de paso por la ciudad. ¿No sabes lo que es el reiki? Es una terapia por imposición de manos, ¿sabes cómo te digo? Es india, creo. Charlamos un largo rato en mi oficina, el tipo es del género iluminado, pero muy afable, muy abierto, simpático, dulce, intuitivo. Le cuento toda mi historia con Alex, me confío, le digo que no estoy en absoluto iniciado en ese tipo de disciplinas, que por naturaleza soy más bien racionalista, pero que respeto todas las alternativas, y que, en vista de mi malestar crónico de estos tiempos, estoy dispuesto a concederle todo mi crédito a la suya si cree que es capaz de hacer algo por mí. Sus ojos se llenan de lágrimas, me dice que

está conmovido por mi estado de expectativa y de esperanza y que, sí, podría intentar hacer algo por mí: una sesión de cuarenta y cinco minutos, sin costo alguno, él me
«siente», lo hará encantando, es una cuestión de ética. Le
propongo que sea al día siguiente en mi oficina a la hora del
almuerzo. Me dice que es mejor hacerlo en mi casa, por
aquello del ambiente, de las vibraciones. Le digo que primero debo prevenir a mi mujer por teléfono. Llamo a Alex,
le digo: «¿No te importa si un hombre viene a hacerme una
sesión de reiki mañana al mediodía en casa, en mi cuarto?
Y que, ya de paso, se quede a comer». Me responde amablemente que eso es asunto mío, que estoy en mi casa en
esa casa, que soy yo el que paga el alquiler y que, por con-
siguiente, puedo hacer en ella lo que quiera, como de costumbre, que yo hago siempre lo que quiero de todas formas, sin importar lo que ella diga. «Personalmente, añade,
me importa un rábano. En cuanto al almuerzo, ya puedes
buscarte la vida, te las arreglarás con lo que haya preparado
la cocinera». Al día siguiente, pues, a la hora del almuerzo,
aterrizo en el comedor de nuestra casa con el reikista suizo.
Alex, obviamente irritada, responde con desgana a su sa-
ludo antes de irse a la cocina a secar platos para calmar sus
nervios. El tipo, más deseoso de ayudarme a solucionar mis
problemas con mi mujer que inquisidor, se levanta, va a la
cocina y entabla una conversación con Alex, cuyo tempera-
mento volcánico ha detectado sin dificultad. Al cabo de unos
minutos, Alex aparece en la puerta de la cocina, escandalizada. Me suelta en plan desafío, señalando al tío con el
dedo: «Este señor al que no conozco de nada se aparece en
mi casa y se permite leerme la cartilla. ¿Te parece normal?».
Contemplo durante una décima de segundo la perspectiva

de un pleito suplementario, mis ojos van de Alex al reikista: «¿Eh? ¿Cómo? ¿Qué pasa?». Alex prosigue, indignada: «Yo conversaba de lo más educadamente con este señor, y él va y me dice, sin que yo le pregunte nada: *Aunque los hombres a veces son torpes, no hay que tenérselo en cuenta, así son las cosas.* ¡Pero quién le ha dado vela en este entierro!», se arrebata. «¿Acaso yo, yo me meto en su vida privada?», le pregunta al reikista, desconcertado en su quimono blanco. «No quería herirla, no era esa mi intención, lo siento mucho si la he perturbado. Intentaba, es verdad, hacer un poco de abogado de su marido, tal vez ha sido una torpeza por mi parte, pero no iba dirigida contra usted, no lo tome así, es solo que me duele ver la misma infelicidad tanto en uno como en otro y me gustaría hacer algo por ustedes.» El cráneo afeitado, mirada de podenco bretón: realmente tiene aspecto de ser un buen hombre. «Alex, cálmate, ¿qué ha pasado? Tiene que haber un malentendido.» Ella adopta su tono amenazante: «¡Acabo de explicarte lo que ha pasado! ¡No hay ningún malentendido! Este señor acaba de faltarme al respeto ¿y tú no haces nada?». «Espera, Alex, espera un momento.» «¡No! ¡No espero nada!», chilla. Y luego: «¿Vas a reconocer sí o no ante mí y ante este señor que acaba de faltarme al respeto aquí, en mi casa, en mi hogar?». Como a su gusto tardo demasiado en captar la justa dimensión del asunto, Alex coge del escurreplatos una gruesa ensaladera de vidrio y la estrella con todas sus fuerzas contra el suelo. Asustados por el estrépito de la explosión, los niños aparecen a su vez en la cocina. Es la primera vez que Alex actúa así delante de ellos. De inmediato intento tranquilizarlos mientras le imploro a Alex con la mirada que se calme, pero en vano: me chilla que es una vergüenza dejar que su mujer sea insultada sin reaccionar y que, para colmo, le resulta escandaloso que yo busque ayuda cuando es ella la que sufre como un animal, que soy el peor de los egoístas, un verdadero monstruo. Te lo juro, así fue como paso exactamente, no me invento nada, no omito nada. Hay que decir que no le faltaba algo de razón a Alex. Pero de todas formas, ¿no? En cuanto a la sesión de reiki, la hicimos, finalmente. Aunque te imaginarás lo que me costó relajarme. Luego el hombre incluso le propuso amablemente a Alex, a modo de disculpa, hacerle lo mismo, y, claro, ella se negó. Al irse, el hombre no me dijo abiertamente nada negativo sobre Alex, no emitió ningún juicio, no me dio ningún consejo. Pero su mirada de profunda compasión, asustada y perpleja, lo decía todo.

En dos palabras, hay que buscar los momentos de sosiego con lupa, es insoportable. El 30 de noviembre, he quedado a cenar con Iván. Es la primera vez que salgo solo desde que volvimos de París, hace dos meses y medio de eso. Le hablé de esa cena a Alex la semana anterior, se lo recordé la víspera y esa misma mañana. Estoy haciéndole confidencias a Iván por encima del magret de pato y las patatas a la dauphine, le digo que no puedo más, que no sé en qué va a parar todo con Alex, que me he perdido de vista completamente, que ya no creo en la felicidad y que me ayuda hablar de mis cositas, gracias por darme un poco de aliento, tío, cuando justo en mitad de la cena, llamada de Alex. Su voz hierve, siento sus ojos en su voz. Sin transición, me dice: «¿Te parece normal que, apenas un mes después que haber querido abandonarme por segunda vez, salgas a cenar con un colega, a pasártelo bien como si nada?». Farfullo una protesta blandengue con mi tono de gilipollas y me cuelga en las narices. Miro a Iván, le cuento la conversación abatido, no dice nada, por amistad con Alex, pero, como los del reikista, sus ojos bastan. Y entonces, me doy cuenta de que llevo una vida de pareja aberrante, que nadie está lo bastante loco como para complicarse la vida tanto como yo y que es preciso que esto acabe inmediatamente. En otros tiempos, me habría levantado antes de terminar el plato, antes del postre, habría pagado la cuenta deprisa y corriendo, me habría despedido de Iván pidiéndole que me comprendiera y hubiese ganado a galope tendido el domicilio conyugal para decirle a Alex: «¿Pero qué pasa, mi amor? ¿Cuál es el problema? Solo me estaba comiendo un magret con Iván charlando de esto y aquello. Una cosa sin importancia, te lo juro. ¿Quieres que hablemos?». Esta vez, le digo sosegadamente a Iván, con una suavidad y una sonrisa de indignación que suenan a una promesa definitiva ante el asalto final: «Escucha, Iván, escúchame bien: no, no voy a levantarme. Vamos a terminar tranquilamente nuestra cena tú y yo, vamos a proseguir tranquilos nuestra conversación, terminar el vino, pedir un postre e incluso, por qué no, aceptar el licor por cuenta de la casa, ¿de acuerdo? Vamos a hacerlo todo como acabo de decir y, después, solo después de todo esto, nos desearemos las buenas noches y volveré a mi casa arrancando con suavidad el coche, ¿vale?». Terminamos, pues, la cena y, por primera vez, así lo siento, voy a actuar y a hablar como me apetece. Le digo adiós a Iván, me subo en mi coche y decido conducir sin angustias, decido que mi corazón no palpitará cuando llegue frente a mi portal, decido que cruzaré el patio con la cabeza alta, que abriré la puerta y que entraré como Pedro por su casa. Decido que soy el amo de mi vida y que no hay razón alguna para que me empeñe en ser desgraciado, decido que estoy harto y que, incluso si debo pagar un precio, a partir de esta noche, yo voy primero. Abro la puerta de casa y descubro en mi campo visual, sentada en el sofá, a Alex esperando por millonésima vez una explicación, pero no se la daré. Y que ni se le ocurra pedirme que me siente, podría contestarle mal. Debido sin duda a una determinación particular en mi mirada, o por mi forma de cruzar el salón, no lo sé, pero percibo que ella percibe que no estoy en mi estado normal, es decir, anormalmente dócil. No digo una palabra, me dirijo con calma hacia el cuarto de baño —el dichoso cuarto de baño de siempre—, percibo cómo se ofusca en silencio a mi espalda, me da igual. Cuarto de baño: me tomo mi tiempo, mido mis gestos, solo enciendo la lamparilla del lavabo para suavizar el ambiente, abro los grifos de la bañera, me desnudo lentamente, echo una pastilla de aceites aromáticos en el nivel ascendente del baño templado, sigue el chapoteo de los grifos, recupero fuerzas, por fin me siento bien. Llevo menos de diez minutos en mi bañera, recostado de espaldas, meditando sosegadamente mi decisión, cuando la puerta se abre. Es Alex. Por supuesto, ya me lo esperaba, la esperaba. Por primera vez en el curso de todos estos años de vida en común, me tapo púdicamente la polla con la mano, como si nunca hubiésemos comido en el mismo plato. Ni siquiera me vuelvo: «¿Querías algo?». «Sí. Saber a qué estás jugando ahora.» Esta vez, es como si le estuviera hablando a la pared. Es el declive de un déspota, inflexible y presa del pánico, un espantapájaros irrisorio. «A nada. Te dejo.» Es la tercera vez que se lo digo en siete meses, pero los dos sabemos muy bien que, esta vez, va en serio. «¿Me dejas?» «Sí. Y ten la amabilidad de salir del baño y cerrar la puerta para que pueda bañarme tranquilamente. Gracias.»

Mi primer gesto, al día siguiente por la mañana, es enviarle un mensaje a Alice con la urgencia de vivir de un recién sanado milagrosamente. No tengo un segundo que perder: «Me and my wife are separated since yesterday. I want to be in contact with you again». Media hora más tarde, me reafirmo con un e-mail: «Puedes enviarle esta carta a mi mujer, me da igual. No puedo más, te echo de menos, desde hace un mes tengo ganas de gritarte que te echo de menos desesperadamente y que te pido perdón». Una hora más tarde, febril de excitación, llamo a Monte, ella descuelga: «¿Has recibido mi SMS? ¿Has recibido mi e-mail? Perdón, perdón, vuelve conmigo, te lo suplico, si vuelves, nunca más te haré daño, te lo juro, no lo lamentarás, te lo garantizo, no soy un ángel pero tampoco un mal tipo, te lo explicaré todo, perdón, perdón, te necesito, me haces soñar, me haces vivir, no estoy loco, seguro que tengo problemas pero no son insuperables, lo único que quiero es vivir feliz y sé lo que es bueno para mí, lo que es bueno para mí eres tú, perdón, perdón». Noto que sonríe con una felicidad brutal al otro extremo de la línea. Para ella también, el sol ha regresado: «Espera un poco, cálmate», me dice sin embargo dignamente. «Espera, te contestaré pronto, te lo prometo, cálmate, dame solo un poco de tiempo, tengo que pensarlo un poco, no te preocupes, lo sé, lo sé todo, lo he comprendido, un beso.» En resumen, en tres, cuatro días, welcome back las cartas, los SMS dulcísimos, Romanza, Italia, las bruschetas y la promesa, de nuevo, de locas noches de amor.

Entre tanto, Alex se ha puesto de rodillas ante mí por primera vez en nuestra vida de pareja, me ha suplicado llorando que me quede, se arrojó medio desnuda a mis pies jurándome que entendía mi ira y que cambiaría completamente por mí, me dijo que nunca más me trataría como a una cosa, que no me tiranizaría más, reconoció que durante demasiado tiempo había proyectado sobre mí sus propias angustias, me dijo que me amaba más que a nada en el mundo, que desde siempre me consideraba el más guapo, el más inteligente, el más sensible, el más insuperable, pero que nunca había sabido decírmelo como es debido, que iba a cambiar completamente porque se negaba a perderme, que sería su destrucción, perderme. El pánico se ha desatado a bordo, me escribió tres cartas-río en dos días, perdón otra vez por el retruécano tan malo. Las cartas son conmovedoras, Alex es sin duda alguna sincera, pero es demasiado tarde, ya no tengo tiempo de escuchar a mi mala conciencia y a mi compasión. Podría hacerlo, sin embargo. Podría con toda facilidad ceder por enésima vez y pensar que no tengo derecho a abandonar a una criatura desesperada que llora viendo su juguete roto, que puedo salvarla, que es mi deber, yo que tengo la suerte de no sufrir tanto como ella con mis propias contradicciones. Podría hacerlo, podría estar a un paso de arrojarme a sus pies a mi vez y volver a meterme en la boca del lobo, pero se terminó, el mundo acaba de bascular de nuevo de golpe, es la cruda vida, la vida es un baño de agua helada en el que un buen día te hunden la cabeza hasta que te acostumbras, lo sé bien, y cuando hay que ir hay que ir, y así es la guerra, sin cuartel, sin sentimientos. Ella me parte el corazón pero ahora debo pensar en mí, es cuestión de vida o muerte. Es ella o yo, y seré yo. Esto acaba conmigo pero así son las cosas, no tengo elección. Hay que elegir *la solución menos mala*, como suele decirse. En vez de los «Cariño», de los «Mi amor», de los «No hay problema» y de los «Como tú digas» de costumbre, le digo, también por primera vez en toda nuestra vida de pareja, mis cuatro verdades. Grito demasiado alto, me agito demasiado, gesticulo, me esfuerzo demasiado para no verme ridículo, me esfuerzo por la belleza del gesto, me esfuerzo para cumplir, me esfuerzo para el público, me esfuerzo para el camino y nunca pensé que eso me aliviaría tanto: «No puedo más, no puedo ver que me sigas jodiendo sin reaccionar. Me fastidias, me pones enfermo y no puedo más. Vete por ahí a que te folle quien te dé la gana, que te follen los tíos más guapos de la galaxia, ya me la trae al fresco, me largo. Ya no te deseo, de cualquier forma, has terminado por asquearme a fuerza de fastidiarme. Y, escúchame bien, si te atreves a tocarme, si se te ocurre una sola vez más intentar algo contra mi integridad física, te golpearé como si fueses un hombre, te suelto un high-kick en la cara que te hará volar dos metros hacia atrás y romperte el cráneo contra el suelo. No, créeme, no tendré ningún escrúpulo en desmontarte la jeta si alguna vez vuelves a tocarme». Este lenguaje sí lo entiende. Peor, le gusta. Me lo dice, por cierto, casi con deseo en sus lágrimas: «Me gusta verte furioso». Me doy cuenta de que he perdido todos estos años de mi vida intentando dar y recibir dulzura y buen humor a una mujer que me encontraba demasiado blando, no lo bastante hombre para su gusto. Es una paradoja, pues también comprendo que si llegó tan lejos en su acoso, fue porque realmente creía que nunca la abandonaría. Porque lo que ella más temía en el mundo era perderme aunque no podía pensar seriamente que un día acabaría dejándola efectivamente. También es porque pensaba que solo me conservaría si me «agarrotaba», como decía su tía, y que a los hombres había que someterlos de entrada para lograr que se queden tranquilos en la pareja. Pienso en algunas de sus frases: «Debes comportarte conmigo en el cuarto como los jugadores de fútbol del equipo de Camerún con sus adversarios en el campo. Un día, escuché una entrevista que les hicieron en la radio. Acababan de hincharse a meter goles y decían de sus rivales riéndose con los periodistas: *Los tratamos como a nuestras mujeres*. Así es como debes actuar conmigo». La pareja como combate, te digo, hasta en la cama. Pienso que el fin de nuestra historia es tal vez, también, el resultado de un largo conflicto intercultural larvado. La propia Alex me lo dijo una noche: «Tu historia con Alice me hace tanto más daño cuanto que pienso que, entre blancos, os entendisteis perfectamente, tú y ella». Y, de hecho, cuando pienso en el tema, después de todos los años que he pasado mirándolas por encima del hombro, no puedo impedirme, bastante ingenuamente te lo concedo, experimentar un sentimiento novedoso de gran ternura, de confianza y de fraternidad hacia las mujeres blancas. También recuerdo esta frase turbadora que leí en la última novela de Jean-Paul Dubois: «¿Sabes lo que decía Louise Brooks? Que no es posible enamorarse de un tipo bueno o amable. Porque las cosas están hechas de tal modo que solo se ama realmente a los cabrones». Me pregunto si esta regla también es válida para los hombres. A propósito del mobalí, pienso en estas palabras de la novelista Fabienne Kanor: «Es negro el hombre con el que sueñas. Que tu piel, tu cuerpo y tu sexo busquen hasta perder la razón». A veces pienso que Alex nunca me amó. Otras veces, que me adoró por amarla, pero sin comprender bien ni aceptar que la amo hasta ese punto porque, por un montón de razones psicológicas retorcidas y complicadas, ella pensaba sinceramente que no merecía tanto amor. Pienso en los estribillos de las canciones populares: «Si no me amas, te amo. Ten cuidado». «Te amo, yo tampoco.» Pienso en lo que Alex me vaticinaba a menudo, y no necesariamente en periodos de tensión: «Tú, algún día, me dejarás por una chica que se parezca a ti. Ya verás, estoy segura». Pienso que me odiaba por no ser tan desdichado como ella. Me dice: «¿Ya no me amas?». «Sí.» «¿Me odias?» «No.» Qué locura: por fin me pertenezco pero no me reconozco. Yo es otro.

Algo menos de un mes más tarde estoy en el sur de Francia, en la casa familiar, con mis dos hijos, mi madre, mi padrastro, mi hermana, su chico y mi abuela. El 25 de diciembre, al amanecer, el cielo está gris y todos duermen en la casa. Fuera hace un frío de perros y, como mi bronceado tropical está contraindicado, pillé al llegar a París, tres días antes, un resfriado que curo mal que bien a base de Fervex y comprimidos de Oropivalone. Acabo de hacer, como cada mañana al saltar de la cama, cien flexiones y cien abdominales, he comido pan, frutas y agua mineral, me lavé los dientes, larga ducha de agua caliente, me acicalé y mi equipaje, que está listo desde el día anterior, me espera. Mi padrastro emerge de un cuarto vecino, ojos medio cerrados: «Hola. ¿Ya? ¿Estás listo?», me susurra para no despertar a los niños que duermen al lado. Se viste, un rápido aseo, abandonamos la casa, ajusto mi bufanda, abotono mi chaquetón marinero comprado de segunda mano en Les Halles por cinco euros al día siguiente de mi llegada, me reeduco en el invierno y la ropa caliente tras más de dos años pasados a más de 30 grados, abro la verja del jardín, mi padrastro arranca su Opel, maniobra y me recoge en la acera, ya en la calle. El trayecto está perfectamente desierto hasta la estación de Faront, no menos perfectamente desierta. Mi padrastro me deja en el aparcamiento, muchas gracias, Rafik, hasta pronto, me precipito hacia el mostrador Avis donde me recibe en traje de chaqueta rojo una empleada solitaria, distraída pero de buen humor. «Feliz Navidad, feliz Navidad.» Nuestra soledad le confiere una dimensión extravagante a la escena, parecemos dos supervivientes de una guerra nuclear remedando, sin demasiada convicción, la vida de antes: *yo soy la empleada de una famosa compañía de alquiler de coches y tú el cliente, ¿vale?* Lo organicé todo desde Tanambo con cierta aprensión y me alegro a cada instante al comprobar que todo se desarrolla como estaba previsto. Este viaje es mi pequeño capricho, el primero desde mi estancia en Nueva Zelanda, hace cinco años. Es mi pequeña road movie, y sé muy bien que hasta el más mínimo detalle contribuirá a hacer de él, en el futuro, un buen recuerdo o no. Firmo el contrato, la empleada anota la referencia de mi tarjeta y me entrega las llaves. «Buen viaje y feliz Navidad.» Estoy muy excitado pero me obligo a caminar despacio para saborear cada uno de mis pasos. El coche que me espera al final del aparcamiento es un Renault Modus que solo tiene, me precisó la empleada, 800 kilómetros en el contador. Bip, clac: está abierto. Como estaba previsto tiene su lector de CD. Uf. Dado que en Tanambo conduzco todos los días un Land Cruiser de 1988 en medio de un parque móvil no menos antiguo, me fascina el olor a nuevo de los asientos y toda la tecnología, los gadgets electrónicos, el cuadro de instrumentos digital, los botones, los elaborados dispositivos de seguridad y control, la iluminación sutil, la comodidad, los materiales, el silencio mate y apagado de un coche europeo del siglo XXI. Guardo mi equipaje en el maletero, me quito el chaquetón que dejo en el asiento trasero, pero conservo mi bufanda, angina obliga. Me instalo al volante, coloco el mapa de carreteras y algunos CD nuevos en el asiento del pasajero, deposito en el salpicadero monedas de euro, la Visa, chicles, una plaqueta entera de Oropivalone y chocolate. Percibo cómo el aroma de mi jabón se expande por el habitáculo, me abrocho el cinturón de seguridad, ajusto el asiento, pruebo algunos mandos básicos, oriento los retrovisores con la ruedecilla interior, regulo la calefacción, arranco: ya está, la película acaba de empezar.

No hay nadie en la autopista. Caetano Veloso, Jorge Ben y Carlinhos Brown se suceden en el lector de CD. Estoy solo en este coche nuevo e insonoro, solo en la autopista, solo en el mundo, es Navidad, hace un tiempo de perros, estoy melancólico pero feliz, estoy completamente sonado tras esos seis últimos meses del año, pero feliz. Feliz de estar solo, feliz de estar en Francia, feliz de ver desfilar a 130 los nombres de localidades balnearias fuera de temporada a mi derecha: Le Lavandou, Saint-Tropez, Saint-Raphaël, feliz de rodar hacia una dicha por fin tangible. En este día de Navidad, la autopista me pertenece y la carretera y el cielo terminan pareciéndose a las melodías a media voz de Veloso y a las percusiones solares de Brown. O más bien, es su música la que termina pareciéndose a este cielo desvaído y a este asfalto empapado. Pareciéndose a mi estado de ánimo, también, entre la esperanza y la melancolía. Esta será la música de mis primeros balances de adulto. Esta música, acabo de descubrirla, compré los discos un poco por casualidad en la Fnac de Les Halles apenas una semana antes, está virgen de toda connotación, las primeras impresiones que le asigno son estas: un coche nuevo y una autopista desierta de la Costa Azul en invierno, una historia dolorosa que termina y un poco de felicidad durante una semana y puede que más al final del trayecto. Es la música de mi libertad y de mi renovación, tiene el color que yo le doy, está marcando una etapa esencial de mi historia. Porque, lo primero que decidí hacer al cambiar de vida, fue cambiar de música. Se acabó el R'n'B de Alex que yo solo escuchaba, por cierto, para complacerla. Sitio ahora para los crooners *saudosistas* brasileños que conectan mucho mejor con mi sensibilidad. Aprendo de nuevo a pertenecerme. Conduzco solo, entre la esperanza y la melancolía, y es perfecto así, no puede ser de otra forma. Tengo plena conciencia de vivir un momento importante de mi vida. Me gusta el Mediterráneo francés, es mi puerto de atraque. A pesar de todos mis viajes, si hay un lugar sobre esta tierra donde me siento en casa, al abrigo, si hay un lugar donde el aire, la luz y el mar me hablan como en ninguna otra parte, definitivamente es aquí. Niza, Mónaco, Menton: los nombres de las ciudades desfilan como paradas de Metro. Al cruzar la frontera, envío un primer SMS: «Sono in Italia!». Noto los primeros microcambios: la calzada se estrecha, la conducción se vuelve más rápida y más ágil, las líneas de demarcación en el suelo son más claras, las paredes de los túneles conservan el color del hormigón, los neones más vivos, más bandas fluorescentes en la señalización de las carreteras, las ciudades a lo lejos parecen más austeras y tristonas, mussolinianas sin duda, las áreas de descanso se convierten en *Area di servizio*. Peajes: *N'giorno signore, buon Natale, due euros per favore.* San

Remo, Imperia, Albenga, Savone. En Génova, me desvío en dirección Norte: Alessandria-Monte. Solo con ver ese nombre en el panel, mi corazón da un vuelco. Fuera, huele a nieve. Peajes: *area di servizio, buon giorno, buon Natale, vorrei un sandwich come questo e un caffe longo, grazie mille, ciao.* Está usted saliendo de Liguria, buen viaje, me siento europeo, estoy orgulloso de ser europeo, Carlinhos Brown, Johnny Cash, Caetano Veloso, Sergio Mendes, María Bethania infatigables en el lector de CD, y luego de pronto Monte, mi corazón estalla literalmente. Con un ojo en el plano de la ciudad, sigo derecho por una colosal, austera e interminable avenida, y ahí está, a la izquierda, la vía N., sigo rodando todo derecho durante diez minutos por una ciudad nevada, intemporal, rica y fantasmal, ruedo bajo el tendido de cables de los tranvías y encuentro mi hotel a la primera, justo enfrente de la estación, aparco. Es grande, espacioso, silencioso, desierto, mullido, grato: me encanta. En la recepción, relentes de cocina sana y de agua de colonia. Me entregan las llaves en francés, subo a mi habitación, los pasillos también son interminables, tengo la sensación de estar en un sueño. La habitación es de techos altos. Suelto mi equipaje. En la cama, han mandado dejar una rosa blanca. Me desvisto, ducha, TV de fondo, me seco, me visto con ropa limpia, debería dormir un poco, así que me desvisto de nuevo, estoy demasiado excitado para dormir, así que me visto otra vez. Hora y media más tarde, un SMS: «Estoy en la recepción, subo». Las palmas de mis manos se me humedecen. Espero tres minutos junto a la puerta, con el corazón en suspenso. Ya está, siento que ha llegado el momento, abro. Alice, tan conmovida como yo al verme en el marco de la puerta, se detiene justo en mitad del pasillo.

Está aún más hermosa que en las fotos, más hermosa que en mis recuerdos, más hermosa incluso que en mi imaginación desde hace cuatro meses. Está más rubia, más finos sus rasgos, más madura, sus ojos más verdes y su sonrisa más deslumbrante. Vestida toda de negro invernal, está espléndida. Permanece inmóvil en el pasillo, me adelanto, la tomo en mis brazos y la estrecho en silencio. Gracias por la rosa.

Te recuerdo que, hasta ese momento, solo nos hemos visto una vez, en Romanza, en verano. Pero, no cabe duda, el invierno, el Norte, el cielo gris, el resfriado y esas prendas de lana no cuentan: somos nosotros. Al día siguiente por la mañana, en el coche que rueda hacia el mar por la autopista, Alice, que se ha dormido en el asiento del pasajero, abre los ojos intermitentemente para verme a pesar de la noche en blanco. Tiene exactamente la misma mirada —esa expresión grave e intensa de una vacilación amorosa que se abandona— que en mitad de la noche en su cama de Romanza, cuatro meses antes. Pasamos cinco días en un hotelito de Cinqueterre. Nuestra habitación está en lo más alto de una laberíntica serie de escaleras. Prácticamente somos los únicos clientes, es temporada baja, todo está cerrado, ni un alma, el mar está helado, llueve todo el día pero nos da igual, es la semana más hermosa de nuestra vida. Nos acostamos a cualquier hora, no dormimos, perdemos sistemáticamente el servicio del almuerzo y de la cena del restaurante del hotel, bajamos a la cocina a golpe de once de la noche para que nos brinden un pedazo de pan y cortar unas lonchas de prosciutto que devoramos en una esquina de la mesa con un hambre canina. En la habitación, solo hay una cama, enorme, con un colchón de plumas, rústica, blanda, una lámpara de cabecera y un tocador con espejo. Nuestro equipaje está patas arriba, nuestra ropa desperdigada por todos los rincones de la estancia pero lo único que importa somos nosotros. Hemos traído un lector de CD portátil y altavoces de ordenador para la música. Fuera, un balcón minúsculo y una vista cinematográfica de acantilados a pico y del Mediterráneo que, con este tiempo, tiene el aspecto del Báltico. Es como estar en un chalé de montaña. Dos noches seguidas, cogemos el coche para ir al cine, a La Spezia. La carretera domina la costa. Es una sucesión de curvas bordeadas de pinos marítimos. Incluso de noche, incluso desierto, incluso bajo la lluvia, incluso a cero grados, reconozco mi Mediterráneo estival. Estamos solos en el mundo con la música, las fluorescencias matizadas del cuadro de instrumentos y los faros del coche que taladran noches sin luna. Sentimos lo mismo, el mismo aflujo de sensaciones preciosas. Nos hacemos un montón de fotos. Cenamos en restaurantes fuera de temporada. Meriendas con cruasanes, chocolate caliente y zumo de naranja recién exprimido en el bar del hotel. Una pizzería muy animada, inmensa y moderna, llena de jóvenes atléticos justo en medio de una calle desierta de La Spezia, hacia medianoche: *L'Antica Pizzeria Da Mamma Ri.* Si tienes oportunidad de ir, no lo dudes, es súper. Fricciono a Alice con canela, ella hace el payaso para mí, nos partimos de risa en un inglés muy nuestro, un inglés de latinos. El resto del tiempo, nos contamos muy en serio nuestra vida y hacemos el amor. Tres, cuatro, cinco veces al día, tomándonos todo el tiempo. Es la primera, entre las pocas mujeres que he conocido, que se plantea el amor como me lo planteo yo: libremente, exclusivamente, tiernamente, glotonamente, generosamente, narcisistamente. Nuestros fantasmas son parecidos. Es la primera vez también que llevo a una mujer hasta el orgasmo, y eso me conmueve cada vez hasta un punto que no puedes ni imaginar. Descubro una versión objetiva de la felicidad. Pero los días están contados y debemos regresar. Ciento cincuenta horas sin separarnos ni un solo momento y ni una nota discordante, te lo juro. En la autopista de regreso, estamos tan tristes por tener que separarnos que poco falta para ponernos mala cara. Hablamos de nuestro próximo encuentro, empezamos a forjar proyectos, a hacernos promesas. En Monte, vamos a la Fnac para comprarnos por partida doble la música de nuestras vacaciones: Carlinhos Brown y Lhasa para ella, Carmen Consoli y Vasco Rossi para mí. La dejo delante de su casa, vía B., a eso de las siete de la tarde. *Ciao mio amore, ciao. We don't need to be sad, it's just the beginning of a beautiful and long story. Je t'aime. Te quiero. Ti amo. I love you. Ciao, ciao, ciao.*

Ya es de noche cuando abandono la ciudad. En la primera *area di servizio* donde me detengo para llamar a Alice, unos automovilistas con prisas vestidos de tiros largos compran cigarrillos y alcohol para la fiesta de Nochevieja, el *Capo d'Anno*. Yo llevo puesto mi chaquetón marinero y unas zapatillas deportivas, este año no hubo día de Navidad para mí y no habrá Nochevieja. Solo un café para aguantar la carretera tras cinco días sin dormir realmente. Tengo tiempo de sobra. Me siento a la vez atormentado y sosegado. Atormentado, primero, por la separación después de tantos años de una relación exclusiva con Alex. *Lo hice*, Dios mío, *lo hice*. Parece algo irreal. Y este paso efectivo, decisivo, hacia la libertad, es, paradójicamente, una montaña vertiginosa de terror y de culpabilidad que debo afrontar cada mañana al despertar. Atormentado ante la perspectiva de todas las dificultades, pero concretas y abordables, que me esperan cuando vuelva a Tanambo. Atormentado por el drama banal de la separación al que mis hijos, al igual que yo a su edad, van a verse enfrentados. Atormentado por los ciclos imparables de la vida. Atormentado tanto por la súbita irrupción de Alice en mi vida como por su ausencia brutal. Atormentado por mi incurable propensión a volcarme de nuevo sin transición en una relación sentimental fuerte. ¿Es esto lo que quiero realmente? ¿El amor? Y además, por enésima vez, ¿qué es el amor? ¿Dónde empieza y termina la parte de autosugestión? ¿Cómo saber si amo o no a Alice? Por momentos, tengo la sensación de que ya no soy capaz de amar, que todo se lo di a Alex. En otros, que si la ausencia de Alice me duele y pensar en ella me hace bien, entonces sí, estoy enamorado. ¿Y por qué renunciar a eso? Todo me parece tan sencillo con Alice que incluso llego a preguntarme, sorprendido por tanta ligereza, si el amor solo tiene sentido cuando se sufre por él. Sosegado, finalmente, como un hombre colmado sexualmente y de nuevo lleno de esperanza. Descubro que ahora mi existencia se divide entre los días *¿Qué tal? Bien* y los días *¿Qué tal? Mal.* O, para ser más preciso, entre los días en que estoy mal y los días en que logro olvidar durante unas horas que estoy mal. Creo que de ahora en adelante tendré que ocuparme seriamente de mí para no hundirme, que tendré que *actuar*, imperativamente reír, salir, leer, jugar con mis hijos, oír música alegre, enérgica, ver a gente, correrme juergas, ordenar, dedicarme al bricolaje, cocinar, hacer deporte, que tendré absolutamente que aturdirme para intentar lo más a menudo posible olvidar que no estoy bien. Me vienen a la cabeza algunas metáforas precisas sobre la historia de nuestra separación: dos tablas de madera pegadas con una cola superfuerte, la cola que cuaja poco a poco y, justo antes de que los pedazos no formen más que uno definitivamente, dos brazos firmes alteran el proyecto del carpintero y deciden separarlos: la desolación brutal de los jirones de cola medio seca erizada sobre las dos infelices tablas, y el tiempo que terminará convirtiéndolos en pátina sin que jamás sea posible raspar completamente toda la cola para devolverlas a su estado inicial. O bien yo disparando un primer pistoletazo contra Alex, ella tambaleante replica con un tiro de bazuca, yo en el suelo, el pecho desgarrado, la remato con una bomba atómica. Yo: un cántaro hecho añicos. O bien un coche salvado por los pelos del desguace. O bien un amasijo de células muertas de las que algunas se regeneran milagrosamente. Recuerdo un sueño inquietante que tuve unas noches atrás: Alex y yo en un muelle resbaladizo del puerto de Faront, un día de viento y niebla. Vestida con elegancia, despreocupada, ella está sentada en un bote salvavidas. Yo me arrastro por el muelle, bocabajo, sujetando firmemente el bote con mi mano porque, en cualquier momento, el viento puede lanzarlo al agua. Resisto porque Alex no sabe nadar. Nos deslizamos, nos deslizamos, el viento nos arrastra cada vez más deprisa, el torbellino sopla en todos los sentidos, es a la vez enloquecedor y peligroso. Nos deslizamos, nos deslizamos, ganamos velocidad, cada vez me cuesta más sujetar la cuerda del bote con mi mano, se lo digo a Alex que no me oye, siempre indiferente, siempre por encima de todo, y, en un momento dado, llego al límite de mis fuerzas, el viento redobla y la cuerda termina soltándose. Presa del pánico, me precipito como un loco hacia el bote, me arrastro lo más deprisa que puedo para intentar alcanzarlo, me arrastro despellejándome el vientre contra el hormigón del muelle, pero el bote se desliza mucho más rápidamente que yo, se embala por efecto del viento y del agua de lluvia que cubre la superficie rugosa del muelle, veo cómo Alex se acerca más y más al borde del muelle, del agua, no se ha dado cuenta de nada, se mantiene derecha como una reina dentro del bote, nariz empinada, ni siquiera se ha dado cuenta de que ya no la sujeto. Le grito que salte en marcha, me desgañito, me arrastro, tengo el vientre ensangrentado, pero no hay nada que hacer: no me oye. Asisto impotente a la caída del bote, que se precipita entre el muelle y el casco de un velero que está amarrado. Por fortuna, Alex se ha sujetado en el último momento a una de las defensas del velero. Pero dos tercios de su cuerpo están sumergidos. Llego jadeante a su altura, le tiendo la mano para ayudarla a subir al pontón. Me mira con odio, sus ojos me reprochan esta pésima sorpresa, aparta mi mano, mal que bien se sube ella sola al muelle. Su ropa está arruinada, chorreando la asquerosa agua del puerto. ¿Qué interpretación hay que darle a todos estos elementos? ¿Debí sujetar más firmemente la cuerda del bote? ¿No grité con bastante fuerza? ¿Merecía yo la confianza ciega de Alex? ¿O bien es que el viento soplaba con demasiada fuerza, el bote era demasiado endeble y cualquier tentativa de salvamento era inútil? Creo que soy demasiado sensible. Creo que soy demasiado orgulloso. Creo que el orgullo y la sensibilidad me han convertido en un cabrón. Creo que, después de todo, no soporté que me engañase. Creo que no debo olvidar que, en toda esta historia, fui yo quien dio el primer golpe, el peor. Pero también creo que, con o sin primer golpe, todo lo que pasó debía pasar. Creo que salvé mi vida. Cuando la imagen de Alex me viene a la cabeza, procedo a enormes esfuerzos de autosugestión: no, no puedes y no debes sentirte responsable de ella. Me doy cuenta de que el sentido común y la lógica no ayudan: una relación tan larga y tan fuerte sobrepasa todos los refugios de la racionalidad y de la evidencia: soy culpable. No tenía derecho a hacer una cosa así. No después de habernos amado tanto Alex y yo. Nos habíamos hecho demasiadas promesas, nuestra unión era tan evidente, he roto ni más ni menos que un pacto de confianza. Pienso que me destroza el haber renunciado a Alex después de haberla amado tanto. Me pregunto aterrado si aún la amo. Pienso también que toda esta historia puede resumirse en una simple constatación: Alex, sus exigencias, su carácter, era demasiado para mí. Que yo no era la persona que ella necesitaba, que quise intentarlo con todo mi ser. Que, al fin y al cabo, no estuve a la altura y que luego terminé tirando la toalla, punto y aparte. Que no se puede vivir con una mujer a la que temes demasiado, a la que temes incluso en la cama. Que la vida no está hecha para eso. Pienso que nos conocimos demasiado jóvenes y que pagamos muy caro, tanto uno como otro, nuestra inexperiencia de la vida. Pienso en la hermosa fórmula de un amigo, en una carta reciente: «Vuestra pareja se parecía un poco a la alianza de un alazán y una leona, ¡qué dúo tan espléndido!, pero una yunta imprevisible e imprevisora». Pienso: *Error de casting*. Pienso que todo esto podría resumirse en una historia de cama que no funcionaba, en la simple química, punto y aparte. Pienso que nunca le perdonaré que conscientemente me haya presionado tanto, durante todos estos años, en un tema que ella sabía muy sensible para mí. Pienso que no es amar a su hombre tratarlo así. A veces pienso: *Pobre de mí, le está bien empleado*. A veces también compadezco a Alex, pero sin llegar nunca a culparme del todo. Pienso que no soy tan bueno y tan generoso como imaginaba. Pienso que he soportado cosas que nadie más que yo hubiese podido soportar. Pienso que las pesadillas no son solo para los demás. Pienso que tal vez estoy exagerando el alcance de una historia bastante banal después de todo. Me preocupo: a pesar de lo que me han contado los hombres que ya han pasado por esto, ¿recobraré algún día la tranquilidad, la paz, la alegría de vivir? ¿Cicatriza el tiempo la aflicción tan eficazmente como dicen? ¿Me recuperaré algún día? Pienso en la frase de Nietzsche: «Todo lo que no te mata te hace más fuerte».

Sigo en dirección a Milán por una autopista en obras, ruedo, ruedo. El tiempo pasa y mientras los coches escasean cada vez más, las señales de seguridad se vuelven preponderantes. Triángulos y guardarraíles luminosos, flashes, bandas fluorescentes metalizadas y semáforos de todas clases: al cabo de ochenta kilómetros estoy completamente solo en el mundo en una autopista que se reduce como un embudo a un carril único sin fin, rodeado de alambradas y de conos de protección de plástico. Por culpa de la fatiga, de pronto tengo la impresión de estar en medio de una selva de monstruosos autómatas gesticulantes, aterradores y amenazantes, igual que en esas escenas finales de las series policiacas inglesas de los años sesenta, te haces una idea, ¿no? Me asusto, te lo juro, me asusto de verdad, mi manos se humedecen, voy demasiado deprisa, estoy demasiado solo en esta carretera, ralentizo, temo ha-

berme equivocado de dirección, busco en vano una presencia humana, tengo la impresión de que nunca dejaré de
avanzar hacia el norte y de que nunca llegaré al final de mi
viaje, tengo la impresión de que voy a morir. Y entonces,
bruscamente, los monstruos se apagan, la calzada se en-
sancha de nuevo, he dejado atrás la zona en obras. Respiro
al ver el panel *Alessandria-Genova prossima uscita*. Por fin
iré en dirección sur, por fin el mar, por fin mi Mediterráneo,
estoy salvado. Para mí, a partir de ese momento, las auto-
pistas del norte de Italia en la noche del 31 de diciembre
se parecen a esa canción melancólica y profunda de Carlinhos Brown que escuchaba en bucle en el coche y que me
gustaría ponerte: *Argila*. No tengo ni la menor idea de qué
va la canción, no entiendo el portugués. Carlinhos Brown,
que es originario de Salvador de Bahía, probablemente no
tiene nada que ver con el Norte italiano en invierno. Pero
me gusta la idea de que la arcilla, maleable y troceable
hasta el infinito pero que un día termina por endurecerse y
encontrar su equilibrio, representaba a la perfección mi estado de ánimo en ese momento. Y además, arcilla suena un
poco a orilla, ¿no es así?

A las doce en punto, acabo de cruzar la frontera en sentido contrario, he vuelto a aminorar la velocidad y he
terminado tomándole gusto a mi completa soledad en la
autopista. Lejos, muy lejos a mi izquierda, hacia el mar, veo
los primeros fuegos artificiales que se elevan por encima
de las aldeas francesas. La gente celebra muy a lo lejos, y
yo, yo ruedo demasiado deprisa y estoy demasiado alejado
para sentirme realmente concernido por su alegría. Pero
es hermoso a pesar de todo. Y luego, rápidamente, al cabo
de unos minutos, nada: la noche cerrada y mis faros vuel-

ven a prevalecer. A ratos, cuando crees que ya está, que se acabó, algún rezagado lanza uno al aire, así, ¡pof! Y luego, de nuevo nada. Sí, me parece que nunca los había visto desde tan lejos, los fuegos artificiales del 31 de diciembre.

Banda sonora original seleccionada

Carlinhos Brown: *Argila* (Alfagamabetizado, 1996).
María Bethania: *Ámbar* (Ámbar, 1996).
Caetano Veloso: *Dans mon île* (Outras Palavras, 1981).
Tribalistas: *O Amor e Feio* (Tribalistas, 2002).
Jorge Ben: *Por Causa de Você, Menina* (Samba Esquema Novo, 1963).
Carmen Consoli: *Equilibrio Precario* (L'Anfiteatro y La Bambina Impertinente, 2001).
Johnny Cash: *Hurt* (American IV, 2002).